THE GREAT FABERGÉ

Catalogue of the first exhibition in USSR.
(The Elagin Palace-Museum, Leningrad)

ВЕЛИКИЙ ФАБЕРЖЕ

Каталог первой в СССР выставки.
(Елагиноостровский дворец-музей, Ленинград)

THE GREAT
FABERGÉ

THE ART OF THE JEWELERS OF THE COURT FIRM

ВЕЛИКИЙ
ФАБЕРЖЕ

ИСКУССТВО ЮВЕЛИРОВ ПРИДВОРНОЙ ФИРМЫ

LEN ART

CATALOGUE OF THE EXHIBITION

The Elagin Palace-Museum of the Russian decorative and applied art
A. Tillander
Finland

Leningrad
The 8 of February – the 1 of October 1989

Lenders to the exhibition

Moscow

The Moscow Kremlin Museums
The Museum of Applied Arts of the peoples of USSR
The Historical Museum
All-Russian Museum of Folk and Applied Arts

Leningrad

The Hermitage
The State Art and Architecture Museums in Petrodvorets, Pushkin and Pavlovsk
The Leningrad City Museum
Elagin Palace, the Museum of Applied Arts
The Enterprise "Russian Semi-Precious Stones"

Helsinki

A. Tillander
Bertel Gardberg

Stockholm

W. A. Bolin

New York

A la Vieille Russie

Paris

Mishel Kamidian collection

The author of the catalogue
the chief curator of the Elagin Palace Museum
L. K. Piterskaya

The editor
V. V. Muhin

Photographers
O. U. Chehonin, S. A. Chehonina, V. V. Mihailov

Designer
A. I. Borodin, M. Bussman

English text Editor
Steaven Pobutsky

© LenArt
40, Nevsky av.,
191011, Leningrad, USSR
Tel. 812-314-28-89
812-312-48-37
812-312-68-24
Telex (via Finland): 19210214 SF
Telefax: 812-110 66 14

Printing shop
Yhteistyö Oy Helsinki 1990

КАТАЛОГ ВЫСТАВКИ

Елагиноостровский дворец-музей русского декоративно-прикладного искусства
Ювелирная фирма „А. Тилландер"
Финляндия

Ленинград
8 февраля – 1 октября 1989 года

Участники выставки

Москва

Государственные музеи Московского Кремля
Государственный музей декоративно-прикладного искусства народов СССР
Государственный Исторический музей
Всероссийский музей народного и декоративно-прикладного искусства

Ленинград

Государственный Эрмитаж
Государственные музеи-заповедники городов Петродворца, Пушкина и Павловска
Государственный музей истории Ленинграда
Елагиноостровский дворец-музей декоративно-прикладного искусства
ЛПО „Русские самоцветы"

Хельсинки

ОУ „А. Тилландер" АВ
собрание Гардберга Бертеля

Стокгольм

Фирма „Болин"

Нью-Йорк

Коллекция „А ла Велле Руси"

Париж

Коллекция Мишеля Камидяна

Автор каталога
главный хранитель Елагиноостровского дворца-музея
Питерская Л. К.

Научный редактор
Мухин В. В.

Фотографы
Чехонин О. Ю., Чехонина С. А., Михайлов В. В.

Художник по макету
Бородин А. И., Буссман М.

Редактор английского текста
Стив Побутски

Contents

Содержание каталога

ISBN 952-90-2179-8

The information for the catalogue was provided by the following museums

SMKM	S. Y. Kovarskaya,
	V. M. Nikitina
SHM	G. G. Smorodinova
MAFARF	E. M. Gorogankina
MAFA of the USSR	N. E. Javchunovskaya
SH	L. A. Yakovleva,
	O. G. Kostuck
PSM	N. V. Vernova
Pavlovsk SM	E. D. Nesterova,
	A. A. Vasileva
Pushkin SM	L. V. Bardovskaya
LSM	L. A. Akseonova
EPM	L. K. Piterskaya

The information on the foreign part of the Exhibition was given by Mrs. Ulla Tillander-Godenhielm (Helsinki) and Mr. M. Kamidian (Paris).

Составители каталожных данных по музеям

ГММК	Коварская С. Я.
	Никитина В. М.
ГИМ	Смородинова Г. Г.
ГМДПИ народов СССР	Горожанкина Е. М.
ВМДПНИ	Явчуновская Н. Е.
ГЭ	Яковлева Л. А.,
	Костюк О. Г.,
	Завадская Л. А.,
	Орлова К. А.
ГМЗ г. Петродворца	Вернова Н. В.
ГМЗ г. Павловска	Нестерова Э. Д.,
	Васильева А. А.
ГМЗ г. Пушкина	Бардовская Л. В.
ГМИЛ	Аксенова Л. А.
ЕОДМ	Питерская Л. К.

Данные на зарубежную часть состава выставки представлены г-жой У. Тилландер-Годенхилм (Хельсинки) и г-ом М. Камидяном (Париж).

The List of abbreviations

SMKM	The State Moscow Kremlin Museums
SHM	The State Historical Museum
SMAFA of the USSR	The State Museum of the Applied and Folk Arts of the USSR
MAFARF	The Museum of the Applied and Folk Arts of the Russian Federation
SH	The State Hermitage
SM	The State Museum
LCM	The Leningrad City Museum
EPM	The Elagin Palace Museum
TDMF	The Treasure Depository of the Ministry of Finance
SMF	The State Museum Fund

H – height
c – century
y – year
D – diameter
the dimensions are given in centimeters

Список сокращений

ГММК	Государственные музеи Московского Кремля
ГИМ	Государственный Исторический музей
ГМДПИ народов СССР	Государственный музей декоративно-прикладного искусства народов СССР
ВМДПНИ	Всероссийский музей декоративно-прикладного и народного искусства
ГЭ	Государственный Эрмитаж
ГМЗ	Государственный музей-заповедник
ГМИЛ	Государственный музей истории Ленинграда
ЕОДМ	Елагиноостровский дворец-музей
Гохран	Государственное хранилище драгоценностей Министерства финансов СССР
ГМФ	Государственный музейный фонд

В. – высота
в. – век
г. – год
Д. – диаметр
размеры даны в сантиметрах

Foreword

Вступительная статья

The exhibition "The Great Fabergé. The Art of the Jewelers to the Imperial Court of Russia" which opened in the exhibit hall of the Elagin Palace Museum is the first such exhibition in our country since 1917. In post-revolutionary times, the name of Fabergé (1846–1920), the artist-jeweler, head of the large jewelry trade firm bearing his name, used to be associated with lack of taste and style, and vulgar excessive splendour in the home of the last Russian emperor. It was assumed to be a chaotic conglomeration of artistic styles in the "historism" epoch. It was also associated with "false" and "pseudo" national and western trends in the art of that time. Artistic processes at work in Fabergé's epoch were formerly considered mainly from the social point of view. This viewpoint essentially eliminated not only the creative work of this master but nearly all his contemporaries from the history of our art. Almost an entire chapter and period of artistic, creative work in Russia, crowned by his name was excluded from history.

The theoretical maxims of ideologists and art historians of past decades determined the attitude adopted towards his work. Fabergé's creative works and those of the artists associated with his circle were neither researched nor popularized. For a long period of time museums did not collect their works. In the late 1920's–30's these works were the first to be sold abroad, through the "Torgsins" and organizations of foreign trade, adding to the great outflow of Rus-

Выставка „Великий Фаберже. Искусство ювелиров придворной фирмы", открытая в выставочном корпусе Елагиноостровского дворца-музея, – первая за годы советской власти в нашей стране. В течение многих десятилетий имя Фаберже, художника-ювелира, главы крупного ювелирного производственного и торгового предприятия XIX – начала XX веков, ассоциировалось на его родине с пышной безвкусицей бытовой обстановки последнего российского монарха, с эклектикой – хаотическим нагромождением художественных стилизаций эпохи историзма, наконец, со всеми „ложно" и „псевдо" национальными и западными веяниями в искусстве его времени. Избыточное социализирование художественных процессов современной Фаберже эпохи фактически исключило из истории отечественного искусства не только творчество этого мастера, но и почти всех его современников. По-существу, из истории была извлечена глава, период и целый вид художественного творчества в России, который венчает это имя.

Теоретические сентенции идеологов и историографов искусства минувших десятилетий предопределили соответствующие практические шаги. Творчество Фаберже и художников его круга не исследовалось и не популяризировалось, их произведения длительное время не собирали музеи. В конце 1920–30-х годов именно эти произведения в первую очередь продавались через внешнеторговые орга-

Gustav and Charlotte Fabergé, the parents of Carl Fabergé

Густав и Шарлотта Фаберже, родители Карла Фаберже

sian art jewelry which poured outward abroad along with the wave of emigration in the wake of the revolution.

Recently, new attitudes have appeared towards Fabergé, his art, and other masters associated with his circle, who contributed to the cultural heritage of Russia. For the first time an impartial assessment of the art of these craftsmen was given in publications by I. Rodimtseva, M. Lopato, and V. Muhin. Still, these specialized editions of limited circulation did not resolve the problem of re-acquainting the general artistic public of our country with this striking phenomena of Russian art. To a certain extent the present exhibition seeks to contribute to the resolution of this problem.

низации и „торгсины", как бы расширяя мощный отток произведений русского ювелирного искусства, хлынувший за рубежи страны со времени послереволюционной эмиграции.

В последние годы, которые в связи с пересмотром значения историзма в отечественной истории культуры стали эпохой своеобразного обобщения и аккумуляции художественного опыта предшествовавших эпох, а также стиля модерн, по иному воспринимается вклад Фаберже и мастеров его круга в культурное наследие России рубежа веков. В первых публикациях на русском языке И. Родимцевой, М. Лопато, В. Мухина, посвященных искусству художников фирмы, была дана объективная его оценка, но малотиражные специальные издания не решили главной задачи – открытия этого яркого явления в русском искусстве для широкой художественной общественности нашей страны. Решение этой задачи в определенной мере ускорит настоящая выставка.

Кто же такой Карл Густавович Фаберже? Начавшийся в 1846 году его блистательный жизненный путь завершился в 1920 году на чужбине, а вскоре имя выдающегося ювелира покрыла пелена неприятия и забвения в России. Главной вехой этого пути, пожалуй, был триумф на Всемирной выставке в Париже 1900 года, когда мастер был увенчан громкой славой и всеобщим признанием. На выставке он представил собственные работы – миниатюрные копии царских регалий (короны, скипетра и державы), а также изделия фирмы – более пятидесяти сюрпризов – пасхальных яиц, созданных по заказам членов императорской семьи, и другие произведения. Сюрпризы произвели особенно сильное впечатление на зрителей как почти фантастическим совершенством проработки деталей, так и тем, что в каждом из них содержался секрет. Например, в пасхальном яйце, исполненном в честь открытия Транссибирской железной дороги

The country house of Agaphon Fabergé. The architects C. C. Schmidt and I. A. Galnbec, 1901–1915. The piece of land was purchased by C. Fabergé from the Count Levashov in 1883

Дача Агафона Фаберже. Архитекторы К. К. Шмидт и И. А. Гальнбек, 1901–1915 гг. Земельный участок приобретен К. Фаберже у графа Левашова в 1883 году

Karl Gustavovich Fabergé – who was he? A man whose life began in 1846 and ended in 1920, the brilliant course of which was spent in a strange, foreign land, where the name of this eminent jeweler eventually fell to oblivion and contempt in Russia. The main landmark of his life was his triumph at the 1900 World exhibition in Paris, where the artist-craftsman was crowned with great fame and recognition. He himself presented his own masterpieces to the exhibition: miniature replicas of Imperial regalia (a crown, orb, and sceptre), and articles produced by his firm: more than 50 treasures – Easter eggs made

(мастерская М. Е. Перхина. Государственные музеи Московского Кремля), содержался миниатюрный паровоз с вагонами из драгоценных металлов – масштабная копия первого сибирского поезда.

За участие в выставке Фаберже получил „Большой приз“, французское правительство наградило его орденом Почетного легиона. Медали получили также руководители ведущих мастерских фирмы. Современники мастера, а также знатоки ювелирного дела последующих поколений на Западе сравнивали его с великим Челлини, отдавая дань исключительному профессиональному мастерству ювелира. Однако Фаберже был не просто виртуозным мастером, но и своеобразным политиком искусства, необычайно тонко чувствовавшим художественную ситуацию, предугадывавшим и даже предопределявшим возникновение многих художественных веяний в конкретный исторический момент. Эпоха историцизма представляла широкие возможности для использования художественных систем различных исторических периодов: рококо, готики, ампира и многих других, однако стилизации мастеров фирмы всегда отличались предельной пластической чистотой и выразительностью. Свойственное Фаберже незаурядное чувство стиля, а также постоянные поиски новых средств художественной выразительности, позволили фирме не только встать у истоков модерна в русском ювелирном деле, но и создать значительные произведения этого стиля в мировом искусстве.

В процессе решения различных профессиональных задач фирма стала первооткрывательницей многочисленных технических приемов, например, таких, как некоторые виды обработки драгоценных камней, создание новых эмальерных покрытий, многоцветных сплавов золота и других металлов. Несмотря на неизмеримо выросший за почти столетний период с тех времен уровень технической

on commission for members of the Imperial family, among other objects. The "surprises" made the greatest impressions on visitors to the exhibition, with their near-perfect treatment of fantastic detail, and the hidden treasures which every egg contained. As an example, there was the Easter egg made to commemorate the opening of the Trans-Siberian railway (M. Perchin workshop, the Kremlin museum in Moscow), containing a miniature railway engine with carriages, all made of precious metals, a replica of the first Siberian train.

The French government bestoved Fabergé with the Legion of Honour and the "Grand Prix" for his part in the exhibition. The managers of the main workshops were awarded medals as well. Contemporaries of Fabergé, and successive generations of Art Jewelry connoisseurs in the West have compared Fabergé with the great Cellini, paying homage to his exceptional professional craftsmanship. Fabergé was not only a master craftsman, however. He was also a shrewd businessman-politician of the art world, with a keen eye and subtle sense for foreseeing and predetermining new trends in art at a given historical moment. The epoch of "historism" presented vast opportunities for the adoption of art styles from various historical periods: Rococo, Gothic, Empire, although the works made by the firm's craftsmen were noted also for their plastic purity and expressiveness. From out of this common style, a feeling unique to Fabergé with his constant search for new means of expression in art, it became possible for the firm to not only adhere to the beginnings of the modernist style in Russian art jewelry, but to create truly significant creative works in this style of world art.

In the area of resolving various technical tasks, the firm was the pioneer in developing many innovative technical devices, as in certain methods of treating precious stones, enamel patinae, and working vari-colored gold and other metals. Nowadays it is impossible to duplicate certain

оснащенности современных ювелиров, многие из „фирменных" приемов Фаберже остаются и в настоящее время невоспроизводимыми.

К числу исключительных качеств Фаберже следует отнести и его редкий даже в русской художественной промышленности рубежа веков дар менеджера, организатора творческого процесса большой группы мастеров различных ювелирных специальностей. Лишь исключительная способность консолидации в процессе создания произведения различных граней таланта и творческой энергии дизайнеров-рисовальщиков, золотых дел мастеров: литейщиков и чеканщиков, эмальеров, камнерезов, а также мастеров вспомогательных технических операций, позволяла создавать как сложнейшие по своим технологическим параметрам „сюрпризы", так и многие другие изделия фирмы: каминные часы, декоративные букеты, фигурки каменной пластики, письменные, туалетные и столовые приборы, ювелирные украшения. Фаберже как бы фокусировал в себе все творческие импульсы, исходившие не только из многочисленных мастерских, но и от каждого из отдельных исполнителей фирмы. Общие проблемы художественного и технического обеспечения при разработке нового ассортиментного направления, вопросы распределения заказов между мастерскими, координации производственных мощностей, а также решение образного и пластического принципа некоторых крупных заказных изделий рассматривались Фаберже совместно с руководителями ведущих мастерских фирмы, которым было дано право ставить на продукции личные клейма.

В этот своеобразный мозговой центр предприятия входила, можно сказать, элита мирового ювелирного искусства своего времени: Михаил Перхин, Август Хольмстрем, Юлий Раппопорт, Август Коллин, Виктор Аарне, Ялмар Армфельт, Владимир Соловьев, Генрик Вигстрем, Альберт Хольстрем-младший,

C. Fabergé, 1918

К. Фаберже, 1918 год

methods for the treatment of precious stones, metals, and other materials, employed by the House of Fabergé, even though over the course of the last 100 years the technology of the jeweler's trade has improved greatly.

Our exhibition has been arranged to illustrate trends in the historical development of the art of Fabergé over the course of a fifty-year period; i.e. from the 1870's until the October revolution of 1917, with representative works from almost all craftsmen of contemporary schools of jewelry art.

Андрей Горянов, Август Холминг, Андерс Невалайнен, Альфред Тилеман и другие. Помимо руководителей мастерских в состав совета входили также братья главы фирмы Карла Фаберже, его сыновья – практически все художники и знатоки ювелирного дела, а также дизайнеры, например, Франсуа Бирбаум – автор камнерезных и других изделий предприятия.

Однако даже в этом великолепном соцветии имен нельзя не выделить двух мастеров старшего поколения, которым, наряду с главой фирмы, прежде всего, принадлежит заслуга подготовки ее всемирного триумфа. Эти выдающиеся ювелиры Михаил Перхин и Август Хольмстрем, окончившие свой жизненный путь в самом начале нашего века, были авторами почти всех самых репрезентативных произведений, выполнявшихся для царствовавшего дома и наиболее видных представителей петербургского общества. Именно в их мастерских создавались первые и самые изысканные произведения, являющиеся шедеврами русского и мирового модерна, например, „сюрприз" с императорской коронационной каретой А. Хольмстрема (частное собрание. Великобритания. 1897 год) и пасхальное яйцо с изображениями листьев клевера из витражной эмали М. Перхина (Государственные музеи Московского Кремля. 1902 год). На выставке в Елагиноостровском дворце экспонатов подобного ранга немного, да и в советских музейных собраниях их можно насчитать единицы. Произведения этой группы рассеяны по частным и государственным коллекциям всего мира и, вероятно, все или даже преобладающую их часть в настоящее время собрать вместе невозможно. Однако также как при взгляде на отдельные вершины трудно ясно представить масштабы какой-либо горной системы, которую они венчают, так и произведения этой относительно небольшой группы играют в творчестве художников фирмы,

Any artistic phenomenon stands out vividly against the background of similar phenomenon and in comparison to other elements of the cultural life of an epoch.

Despite his leading place in Russian Art jewelry at the turn of the century, Fabergé was not the only jeweler to have worked in gold, enamel, and in precious and semi-precious stones. There were many other interesting firms which were also producing their works, sometimes collaborating with the House of Fabergé, sometimes competing successfully in meeting the demands of the Russian jewelry market, for those who did not necessarily belong to the crème de la crème of society, or who came from the provinces. Among St. Petersburg jewelry firms there were many workshops which are worthy of note. There are the Grachov brothers, A. Tillander, and I. Britsin, a craftsman of outstanding ability, in addition to other trade firms.

Although not attempting to re-create a complete picture of the state of St. Petersburg art jewelry at the turn of the century, the curators of the exhibition did consider it important to supplement the display of art by Fabergé with a group of pieces made by his contemporaries. Among whom is the undeservedly neglected I. Britsin, a superb master, whose creative heritage is described in a special article in this catalogue, and the A. Tillander firm (now in Helsinki).

The history of the Tillander firm, a contemporary of Fabergé, goes back to Alexander Edvard Tillander who came to St. Petersburg in 1843, and in 1860 established himself as a master-jeweler and opened an "Office and Workshop for Gold and Diamond goods", which later became a large jeweler's firm. The firm manufactured fine jewelry, cigarette cases, commemorative medals and awardmedals, and other objects in gold and silver. For the most part the range of goods produced by Tillander was different from that of the House of Fabergé, so it was as if the two firms

главным образом, эмблематическое значение. Тем более что характерной особенностью изделий фирмы, отличающей их от продукции большинства других российских и зарубежных ювелирных предприятий, был одинаково высокий художественный уровень как заказных произведений, так и массовых. Различие в их стоимости складывалось преимущественно из ценности использовавшихся материалов и объема работы, но при этом все изделия как бы сохраняли между собой родственные стилистические связи. Для профессионалов же и знатоков ювелирного дела простые функциональные произведения фирмы представляют, пожалуй, еще больший интерес, чем заказные вещи, поскольку в них наиболее отчетливы особенности использования различных технических и художественных приемов, которые заимствовались художниками-ювелирами последующих поколений. Несомненно, что большинство современных направлений дизайна в искусстве художественной обработки металла в различных странах восходят своими истоками к творческим открытиям художников круга Фаберже. Этот факт получил свое отражение в предметном составе выставки в Елагиноостровском дворцовом комплексе. Наряду с основной группой произведений, представляющих наследие фирмы, в нее включены изделия художников Ленинградского ювелирного объединения „Русские самоцветы", а также ряда финских мастеров и предприятий, в деятельности которых нашли свое развитие традиции искусства Фаберже.

В основу экспозиционного принципа выставки „Великий Фаберже. Искусство ювелиров придворной фирмы" заложена историко-эволюционная линия развития искусства фирмы на протяжении почти полувекового периода, начиная с последней трети XIX века и вплоть до Октябрьской революции, представленная творчеством почти всех ее ведущих художников.

Auxiliary constructions on the territory of the country house

Служебные постройки на территории дачи

supplemented one another on the Russian market.

In 1911 the firm moved to new premises: a large shop at 26 Nevsky Prospect. Annual turnover of the firm had already reached the sum of 100.000 roubles. By this time A. Tillander Junior had taken over the business from his father.

The outbreak of the Russian revolution put an end to the rapid expansion of the firm. In 1917 the firm was closed down. A. Tillander had to start it up in Helsinki again. He did his best to get business fully back in stride. Now the firm is one of the foremost in its field in Northern Europe.

We would like to express sincere thanks to all

Любое художественное явление выглядит особенно рельефно на фоне и в сравнении с другими элементами культурной жизни своей эпохи. Фирма Фаберже, несмотря на свое лидерство в русском ювелирном производстве рубежа веков, не была неким абсолютом. Параллельно действовали интереснейшие художественные предприятия, которые порой успешно с ней конкурировали, сотрудничали, либо заполняли своей продукцией ту часть российского ювелирного рынка, которая определялась потребностями разночинных слоев столичного общества, а также провинции. Среди петербургских ювелирных производств конца XIX – начала XX веков выделялись фирмы: братьев Грачевых, А. Тилландера, И. Брицына и других, а также мастерские ряда торговых домов. Не пытаясь воссоздать во всей полноте картину столичного ювелирного искусства, устроители выставки сочли необходимым дополнить экспозицию изделий фирмы Фаберже группой произведений некоторых из ее современников. Среди них работы незаслуженно забытого, интересного мастера И. Брицына, творческому наследию которого посвящена специальная статья в настоящем каталоге, а также продукция ныне существующей в Хельсинки фирмы А. Тилландер.

История этого торгового и производственного предприятия восходит к Александру Эдварду Тилландеру. Приехав в Петербург в 1843 году, он впоследствии возглавил ювелирную мастерскую, на основе которой возникла значительная столичная фирма. Основу ее производства составляли ювелирные украшения, а также наградные и памятные медали, значки, портсигары и другие бытовые предметы. Направленность существенной части ее ассортимента не пересекалась с производственными и экономическими позициями Фаберже. Фирмы как бы дополняли друг друга на российском рынке. В конце первого деся-

Moscow. A shop of the Fabergé Company in Kuznetsky Most

Москва. Магазин фирмы К. Фаберже на Кузнецком мосту

the lenders, without whom this show would not be possible. These are the Museums of Moscow and Leningrad. We are also grateful to Mrs. Golod and to Mrs. Askinazi.

We also would like to express the Museum's gratitude to Mr. Paul and Peter Schaffer (New York), Mr. Bertel Gardberg (Finland), Mr. Hans Bolin (Stockholm), who kindly lent their objects for the present exhibition in Leningrad.

In addition we would like to express our appreciation to Mr. Kamidian (Paris) whose objects appeared on the display of the exhibition a bit later after the day of its opening.

Our sincerest thanks and appreciation to Mrs. Ulla Tillander-Godenhielm whose enthusi-

тилетия XX века производственный и торговый дом А. Тилландер занял обширное помещение на Невском проспекте, 26, а его годовой оборот достиг солидной для того времени суммы – 100 000 рублей. В этот период к руководству фирмой пришел Александр Теодор Тилландер-младший, на долю которого выпали тяготы ее ликвидации в революционное время и воссоздания вновь уже в Хельсинки. В настоящее время предприятие – одно из самых известных в Северной Европе.

Устроители выражают признательность музеям Москвы и Ленинграда, а также ленинградским коллекционерам Е. М. Голод и Е. Г. Аскинази, представившим на выставку произведения из своих собраний.

St. Petersburg
Санкт-Петербург

asm, generous contributions, and help in selecting the foreign section of the exhibition were invaluable.

Finally our sincere thanks are due for innumerable kindnesses and help in the preparation of this exhibition to Mr. Jaakko Kaurinkoski, Consul General of Finland and to Mrs. Kaarina Kaurinkoski.

Dr. Vjacheslav Muhin
Director of the Elagin
Palace Museum

Сердечно благодарны мы также зарубежным экспонентам выставки господам Шефферу (Нью-Йорк), Гардберг (Хельсинки), Болин (Стокгольм) и Камидяну (Париж).

Особая роль в формировании состава экспозиции выставки принадлежит одному из самых активных ее организаторов госпоже Улле Тилландер-Годенхилм. Именно благодаря ее энергии и увлеченной работе выставка пополнилась интересными экспонатами из Европы и Америки.

Устроители выставки считают своей приятной обязанностью выразить искреннюю благодарность Генеральному консулу Финляндской республики в Ленинграде господину Я. Кауринкоски и его супруге, активно способствовавшим эффективному сотрудничеству советских и финских организаторов этой международной выставки.

Директор Елагиноостровского
дворца-музея
кандидат искусствоведения
Мухин В. В.

The phenomenon of Fabergé

Феномен Фаберже

One September day in 1918 under the pretext of being a messenger of the British Embassy, an elderly Carl Fabergé was secretly leaving Russia, his homeland, the country where his father and grandfather had lived and where he and all four of his sons were born. For more than forty years his enterprise had been doing well and for the last twenty years it had been flourishing, getting numerous commissions both from within Russia and from abroad. His family lived in a prestigious part of the capital – on Bolshaya Morskaya street, 24 – where in 1900 a large house was specially built for his personal accommodation and workshops. The house was designed by the young architect Carl Shmidt in the northern modern style. The building could be easily singled out among equally impressive mansions bearing the names of the most famous St. Petersburg jewellers: Bollnov, Rytsev, Boka, Tillander, Zefftigen, Ovchinnikov and those from the Nevsky Prospect – Ivanov, Gana, Linden, and the Morosov Trade House with its massive, grand ground floor and mock pillars.

It was in 1842 that Gustav Fabergé started his business on 11, Bolshaya Morskaya in part of a house owned by Jacob. The son of Gustav Fabergé, Carl Fabergé, having received a broad artistic and commercial education in Russia and abroad, became the owner of a House selling gold and diamond jewelry. He soon expanded his business and moved to a house on the same street, No. 16, with his shop nearby at No. 18, Kononov's house. Here his sons grew up and

Сентябрьским днем 1918 г. под видом курьера британского посольства престарелый Карл Густавович Фаберже тайно покидал Россию, свою родину, ибо здесь жили его дед и отец, здесь родился он сам и четверо его сыновей. Уже более сорока лет его дело успешно развивалось, а в последние два десятилетия фирма процветала, имея многочисленные заказы как в России, так и за границей. Семья жила в самой фешенебельной части столицы – на Большой Морской, 24, занимая с 1900 года обширный дом, специально построенный для нее и для всех мастерских. Молодой архитектор К. Шмидт создал оригинальный проект в стиле северного модерна. Постройка своей внушительностью и массивностью первого этажа с бочкообразными полуколоннами выделялась в ряду других не менее солидных зданий, на которых красовались вывески крупнейших петербургских ювелиров Болинов, Бутцев, Бока, Тилландера, Зефтигена, Овчинникова, а рядом – на Невском – А. Иванова, Гана, Линдена, Торгового дома Морозова.

Еще в 1842 г. Густав Фаберже (или Фаберге) основал дело на Большой Морской, д. 11 в доме Жако. Его сын, Карл Фаберже, получив широкое художественное и коммерческое образование в России и за границей, став владельцем магазина золотых и бриллиантовых вещей, вскоре расширил предприятие, переехав в дом № 16, а для магазина было снято соседнее помещение в доме Кононова (№ 18).

received their education. All of them became artists, Eugene being especially talented. His son Alexander, for instance, was a popular sculptor and a master of enamel. Eventually all of them became heads of the House of Fabergé and its branches. Agaphon took over from his father as the jewelry and solitaire gems appraiser at the Imperial Court. Learning that Agaphon Fabergé was a jewelry specialist, Trotsky, in the 1920s, insisted that he and A. E. Fersman, another jewel specialist, be included in a special commission that was describing the items in the Diamond Fund. In St. Petersburg Agaphon Fabergé was known as a collector of paintings, drawings, stone carvings and objects of Oriental and West-European applied art. He also had an outstanding stamp collection. His private library, which is being kept in the Hermitage museum, reveals how versatile a person he was.

The history of the Fabergé House is in general well-known. The archive's documents have gradually been broadening our knowledge and verifying the historical facts we already know thanks to the memoirs of Mr. Bainbridge who worked in the Fabergé London subsidiary company. A short historical review of the Fabergé House can be found in the paper that was presented to the head of the Imperial Cabinet of the Hermitage museum on November 12, 1910 by Carl Fabergé on the subject of his becoming a Court Jeweler. "The House of Fabergé was founded by Gustav P. Fabergé in 1842. Carl G. Fabergé joined his father's jewelry business in 1864 and in 1872 he took control of the House. Due to the energy and artistic taste of Carl G. Fabergé the House flourished, particularly during the last 25 years of the firm.

In 1882 the firm took part in the All-Russia Industry and Design Exhibition in Moscow where it won a gold medal. On May 1, 1885 Carl Fabergé was granted the Royal Warrant. In the same year the House exhibited its works in the Fine Arts and Crafts Show in Nuremberg where

Здесь выросли сыновья, также получившие хорошее образование. Все они были художниками, особенно выделялся Евгений, а Александр, например, был талантливым скульптором-модельером и эмальером. Впоследствии они стали руководителями фирмы и ее отделений. Агафон заменил отца на его придворной службе в должности оценщика ювелирных изделий и драгоценных камней при Кабинете Его Императорского Величества. Он был специалистом-геммологом и в 20-е годы по настоянию Л. Б. Троцкого был привлечен наряду с А. Е. Ферсманом для работы в комиссии, занимавшейся описанием вещей Алмазного фонда. В Петербурге Агафон Фаберже был известен как крупный коллекционер, собиравший живопись, графику, произведения восточного и западного прикладного искусства, резные камни. Значительна была и филателистическая коллекция. Библиотека Агафона, поступившая в Эрмитаж, свидетельствует о разносторонности интересов этого человека.

История дома Фаберже в общих чертах хорошо известна. Архивные документы постепенно расширяют наши знания и уточняют сведения, дошедшие до нас благодаря мемуарам сотрудника Лондонского отделения фирмы Г. К. Бейнбриджа.

В докладной записке, поданной Евгением Фаберже 12 ноября 1910 года заведующему Кабинета Императорского Эрмитажа по поводу предоставления Карлу Фаберже звания придворного ювелира, вкратце излагается его биография.

„Фирма К. Фаберже была основана в 1842 году Густавом Петровичем Фаберже. Карл Густавович поступил в дело в 1864 г. и в 1872 г. оно перешло в его руки. Благодаря энергии и художественному вкусу, она сильно развилась с тех пор, а особенно за последние 25 лет.

Фирма участвовала на Всероссийской вы-

it was awarded a gold medal as well. In 1888 the House was awarded another gold medal at the Industrial Exhibition in Copenhagen.

The Moscow branch of the firm was opened in 1887, where shortly thereafter a new factory of the firm was opened. The number of employees in Moscow was more than 200 and together with those working in St. Petersburg amounted to over 500, the House being the largest jewelry firm in Russia and one of the major jewelry firms in the world.

On the 29th of August, 1890, Fabergé was appointed to the position of Evaluator of the Imperial Court and on the 1st of November of the same year he was granted the hereditary status of Honorable Citizen.

In 1896, at the All-Russia Exhibition in Nizny Novgorod the House was awarded the State Emblem. In 1897 the House of Fabergé participated in the Nordic Exhibition in Stockholm, after which Carl Fabergé was granted the Royal Warrant to Sweden and Norway.

In 1900 the firm showed a lot of its objects of applied art at the World's Fair in Paris. The firm took part in it hors de concours because Carl Fabergé was included on the board of judges. The French government awarded him the order of the "Legion of Honor".

In the same year the Odessa branch of the House was opened. Since 1901 the firm began to sell its merchandise in London, in 1900 a shop was opened there and sales increased year by year. The British Court became its regular customers, the Queen Mother, the King and the Queen visiting the shop in person. By the autumn of 1908 the House had made business trips not only in Europe but to Asia, India, Siam and China as well. In Siam they were the first Russian firm to do business.

For a long time Fabergé supplied jewelry to members of the Russian Imperial family and was often invited for private audiences. Among his customers were the King and Queen of Great

ставке в Москве 1882 г., где получила золотую медаль.

1 мая 1885 г. К. Г. получил звание Поставщика Высочайшего Двора. В этом же году он участвовал на Художественно-Промышленной Выставке в Нюрнберге, где тоже был удостоен золотой медали при весьма лестном отзыве. На Художественно-Промышленной Выставке в Копенгагене 1888 г. фирма также получила золотую медаль.

В 1887 г. было открыто отделение в Москве, где вскоре была учреждена и собственная фабрика, на которой работает более 200 человек, а вместе с Петербургом более 500 человек, так что фирма является самым большим делом по этой отрасли в России и одним из самых больших во всем мире.

29 августа 1890 г. Карл Густавович Фаберже был **назначен** оценщиком Кабинета Его Императорского Величества, а 1 ноября 1890 г. ему было пожаловано потомственное почетное гражданство.

В 1896 г. фирма участвовала на Всероссийской Выставке в Нижнем Новгороде, где была удостоена Государственного Герба. В 1897 г. фирма участвовала на Северной Выставке в Стокгольме, после которой К. Г. получил звание Придворного ювелира Его Величества Короля Шведского и Норвежского, каковое звание недавно подтверждено Королем Густавом V Шведским.

В 1900 г. фирма приняла в большом размере участие на Всемирной Выставке в Париже, где участвовала hors de concours. Карл Густавович Фаберже был избран членом жюри. Французское правительство наградило его орденом Почетного Легиона, со стороны же Русского правительства он никакой награды удостоен не был.

В том же 1900 г. было основано отделение в Одессе. (1890 г.? – М. Л.)

С 1901 г. посредством торговых поездок фирма распространила сбыт своих изделий на

St. Petersburg. Bolshaya Morskaya street

Санкт-Петербург. Большая Морская улица

Britain, the King and Queen of Italy, the King of Spain, the King and Queen of Greece, the Tsar of Bulgaria (who expressed his high regard of Fabergé's artistic merits and aesthetic tastes), the King of Sweden, the King of Norway and others.

Carl Fabergé never asked for any rewards, they were given to him because he deserved them. He was awarded the following orders and medals:

St. Stanislav – third class, February 25, 1889;

St. Ann – third class, June 20, 1892;

St. Stanislav – second class, which was granted to him after the coronation of the Russian Emperor.

For almost 15 years no other awards were granted him and it was only on the 1st of January, 1910, that he was presented the title of Manufacture Expert. It was as a result of the paper written by his sons that read: "Not long ago that I learnt that the status of the Imperial Supplier is not equal to the title of Court Jeweler. Taking this into account and mostly by virtue

Лондон, а в 1903 г. был основан собственный магазин в Лондоне, где торговля с каждым годом развивается и где в числе постоянных покупателей состоит весь Великобританский Королевский Дом, причем Вдовствующая Королева и нынешние Король и Королева лично посещают магазин.

С осени 1908 г. фирма сооружает торговые поездки и за пределы Европы, а именно: в Азию, в Индию, особенно Сиам и Китай, причем в Сиаме мы явились вообще первой русской торговой фирмой.

Карл Густавович Фаберже имеет счастье в течение уже многих лет поставлять их Императорским Величествам и Высочествам, причем он неоднократно **бывает приглашаем для личных переговоров.**

Фирма К. Фаберже имеет также счастье считать своими покупателями большинство иностранных Высочайших Особ, как Короля и Королеву Великобритании, Короля и Королеву Итальянских, Короля Испанского, Коро-

19

of the fact that Carl G. Fabergé has been actually working as a Court Jeweler for a long time having business contacts with members of the Imperial family, I beg Your Superiority to find a possibility of granting him the title of Court Jeweler.

On behalf of Agaphon F., Alexander F. and Nicholas F., Eugene Fabergé."[1]

So we see that such documents help us to verify the facts of the Fabergé House history. It is especially true with regard to the early beginnings of Carl Fabergé's career. For example, he undertook his business when he was 18 and headed it, not in 1870 as was thought before, but in 1872. In another document we learn that Fabergé began selling jewelry to the Imperial Court as early as 1866.

The 1800s were years of rapid growth for the Fabergé House. In 1882, having received his education abroad the junior of the Fabergé brothers – Agaphon Fabergé – came home from Dresden. He was known as a painter and designer of jewelry decorations. In that year the Fabergé House took part in the All-Russia Industrial Exhibition in London and won a gold medal. It was the firm's first success. A collection of replicas of ancient greek jewelry made by Erik Kollin (one of the firm's workmasters) was shown there. It included diamond jewelry in such forms as a wild rose, a bouquet and a necklace. There also were an opal parura, a leaf-shaped brooch and a sévigné made of various stones. In 1885 Mr. Fabergé became Imperial Supplier and made his first Imperial Easter egg of white enamel, crowned and decorated with rubies, diamonds and roses. It was presented to the Empress Maria Feodorovna by Alexander III. Since then an Easter egg would be made for the Imperial family every year. After the death of Alexander III, the Fabergé House made two Easter eggs a year, one of which would be presented to the Empress Mother by Fabergé himself on behalf of Emperor Nicholas II, and the other egg Fabergé's assistant

ля и Королеву Греческих, Царя Болгарского (Князь Фердинанд пожаловал в 1902 г. Командирский Крест ордена за гражданские заслуги), причем Его Высочество чрезвычайно лестно выразился о художественной деятельности и эстетическом вкусе Карла Густавовича), Кронпринцессу Германскую, Короля Шведского, Короля Норвежского, Наследника Австро-Венгерского Престола и многих других.

Карл Густавович Фаберже никогда не домогался каких-либо наград или отличий, но был, однако, удостоин золотых медалей и орденов:

Св. Станислава III ст. 25 февраля 1889 г.

Св. Анны III ст. 5 апреля 1892 г.

Св. Станислава II ст. 20 июня 1896 г., сей орден был ему пожалован после св. Коронования Государя Императора и с тех пор, т. е. почти 15 лет он никаких наград и знаков отличий не получал; только 1 января 1910 г. ему было пожаловано звание Мануфактур Советника по просьбе его четырех сыновей.

Недавно лишь **мне стало известно,** что звание Поставщика Высочайшего Двора **не тождественно с званием Придворного Ювелира.** По-этому принимая во внимание вышесказанное, а главным образом то обстоятельство, **что К. Г. Фаберже** в сущности давно уже состоит **Ювелиром Высочайшего** Двора, т. к. имеет постоянные личные сношения с Их Императорскими Величествами, я имею честь обратиться к Вашему Превосходительству с покорнейшею просьбой исходатайствовать Карлу Густавовичу Фаберже звание Придворного Ювелира.

За себя и за братьев Агафона, Александра и Николая Фаберже, Евгений Карлович Фаберже".[1]

Таким образом, эта записка помогает нам уточнить некоторые факты из жизни К. Фаберже, особенно касающиеся его первых лет деятельности. Он начал участвовать в деле с 1864 г., т. е. с 18-летнего возраста. Главой

would send to Alexandra Feodorovna.

Having Royal Warrant, Fabergé – like many other Court Jewelers such as Zefftigen, Bolin, Koehly and Butz, – carried out various jewelry orders. These were for numerous rings, bracelets, brooches, cuff-links, studs and pins with diamond, sapphire and ruby heads. There were also snuff-boxes, cigarette-cases, gold crosses and miniature icons. The number of commissions increased every year. For instance, in 1886 the total sum of jewelry made for the Imperial Cabinet was just over 9.000 roubles and in 1909 it had already reached 12.000 roubles. Besides these commissions he was to do the routine work of Imperial Court Jeweler free of charge. This is verified in a paper written on February 1, 1893, that reads: "To make the Imperial Supplier and Jeweler Mr. Fabergé responsible for the upkeep of the metal plating of the icone of Our Saviour in the Original Palace of Peter I."[3] Besides this work Fabergé repaired broken pieces of jewelry and applied art, changed the monograms on the tops of snuff-boxes and cigarette-cases, reset missing stones and lastly he performed purely commercial bargains offering precious stones to the Imperial Court, one of these business transactions taking place in 1890 when he sold 32 solitaires, with a total weight of 183 karats, for the sum of 24.705 roubles, the bill having not been paid off until 1892.

In the 1880s Fabergé was mostly doing commission work, the only exception being the Imperial Easter eggs containing exquisite hidden treasures. Judging by the accounts of that period jewelry orders comprised the main income of the firm and provided its major source of capital. In the 1890s a lot of objects decorated with enamel and semi-precious stones were being sold in St. Petersburg jewelry shops. Their main producer, Michael Perchin, was an expert in goldsmithing techniques and was renowned as a master of enamel. Soon after he acquired his own workshop on Bolshaya Morskaya, 11, he began to

предприятия он стал в 1872 г., а не в 1870 г., как было известно до сих пор. Из другого документа мы узнаем, что уже с 1866 г. Фаберже поставляет двору ювелирные изделия.[2]

1880-е годы были годами быстрого подъема предприятия. В 1882 г., получив заграничное образование, из Дрездена вернулся младший брат Карла Агафон – незаурядный художник, автор проектов ювелирных изделий. В том же году Фаберже участвовал во Всероссийской Художественно-Промышленной Выставке в Москве и получил золотую медаль. Это был первый крупный успех. Он представил коллекцию копий с древнегреческих золотых изделий, выполненную мастером Эриком Коллином, бриллиантовые шиповник и букет, ожерелье, парюру с опалами, брошку в виде листа, севинье из разных камней. В 1885 г. Фаберже становится Поставщиком Высочайшего Двора и в этом же году выполняет первое „пасхальное яйцо белой эмали в короне, украшено рубинами, бриллиантами и розами", предназначенное в подарок Марии Федоровне от Александра III. Отныне такой подарок императрице будет изготавливаться ежегодно, а после смерти Александра III – Фаберже будет исполнять к Пасхе два подарка и от имени Николая II подносить императрице-матери, а его помощник – Александре Федоровне.

Как поставщик двора Фаберже выполнял обычные заказы, наряду с придворными ювелирами Зефтигеном, Болиным, Кехли, Бутцем. Это бесчисленные кольца, браслеты, броши, запонки, булавки с бриллиантами, сапфирами, рубинами, табакерки, портсигары, наперсные кресты, панагии. Заказы Фаберже с каждым годом возрастали. Если в 1886 г. он выполнил для Кабинета Его Императорского Величества заказов на сумму свыше 9000 руб., то в 1909 г. – на сумму до 120 000 руб. При этом ему поручается и черновая работа придворного ювелира, о чем свидетельствует дело от 1 февраля 1893 г.,

work for the Fabergé House. He remained Fabergé's partner till the end of his days. He died in 1903. It was Perchin who made almost all the Imperial Easter eggs. Numerous snuff-boxes, cigarette-cases, jewelry boxes and the like were made by his workshop. After Perchin's death Henrik Wigström became his successor having been his best assistant and to whom Perchin disclosed all the secrets of his trade.

No less famous than Perchin was the master August Holmström who from 1857 worked in the Fabergé House and later became its main jeweler. After his death the work was kept on by his son Albert Holmström. His workshop produced mainly decorative jewelry made after the designs of his daughter, a talented artist and painter.

August Holmström owned a workshop on Kazanskaya street 35, which opened in 1880. In the 1890s it, along with all the Fabergé workshops, was moved into the firm's main house on Bolshaya Morskaya 24. Among those who moved to Bolshaya Morskaya was A. Thieleman. The only master who did not change his permanent address was Julius Rappoport, a famous silversmith who had a spacious and convenient workshop of his own on Catherine Canal, 65.

Among Fabergé's partners were a fair number of independent masters, themselves the owners of various workshops. These workshops were connected with the Fabergé House through commissions and practically worked exclusively for Fabergé. The personal charisma of Fabergé and his disguised dictatorship had a combined power which made them all work according to his line. The requirements of the Fabergé House were very high. At the same time Fabergé in no ways limited the artistic imagination of his partners and always encouraged any innovations.

Whenever it was necessary Fabergé took care of his jewelers. For instance, during the years of the First World War he applied to the Court to exempt some of them from conscription since they were the leading workmasters of the House

гласящее „О поручении оценщику при Кабинете Е. И. В. ювелиру Фаберже производить в течение 1893 г. безвозмездно чистку драгоценной ризы на образе Спасителя в Первоначальном Дворце императора Петра I“.[3] Кроме того, он занимается починкой сломанных драгоценных вещей, переделкой вензелей на табакерках и портсигарах, вставляет утраченные или выпавшие камни. Наконец, он совершает чисто торговые сделки, предлагая двору драгоценные камни, как это было в случае с продажей в 1890 г. 32 солитеров весом 183 карата на общую сумму 24 705 руб.[4] Уплатили ему, кстати, только в 1892 г.

В 1880-е годы Фаберже изготовлял, за исключением пасхальных яиц с сюрпризами, главным образом ювелирные изделия и впоследствии, судя по счетам, эта продукция занимала значительную часть в деятельности фирмы. Она обеспечивала финансовую основу предприятия. В 90-е годы все чаще появляются изделия с поделочными камнями и эмалями. Его главный мастер Михаил Перхин виртуозно владел всеми техниками золотого дела, но особенно искусен был в технике эмали. Приобретя в 1886 г. собственную мастерскую на Большой Морской, д. 11, он вскоре стал работать исключительно на Фаберже и до конца жизни, т. е. до 1903 года, оставался верен своему патрону. Он был основным исполнителем на протяжении этих лет почти всех императорских пасхальных яиц. Многочисленные табакерки, портсигары, коробочки, разного рода безделушки вышли из его мастерской. После его смерти мастерскую возглавил Генрик Вигстрем, давний помощник и продолжатель традиций Перхина.

Не менее значительным мастером был Август Хольмстрем, который уже с 1857 года работал на Густава Фаберже и был главным ювелиром фирмы. Дело после смерти отца в 1903 году продолжил его сын Альберт Хольмстрем. В его мастерской создавались в основ-

Leningrad. The front of the Fabergé House in the former B. Morskaya, now Hertsen street
(on the ground floor is the jewelry shop named "Yahont")

Ленинград. Фасад дома К. Фаберже на бывшей Б. Морской, ныне улице Герцена
(в первом этаже находится ювелирный магазин „Яхонт")

at that time. Among them were such specialists as Kremlev, Tziganov, Komalenkov, Bogdanov, Petuhkov and others.

High quality was characteristic of the Fabergé production. It depended not only on the high-skill craftmanship but on the works of talented drawers, designers and sculptors. In 1890s the Fabergé brothers were working out the designs for the pieces of jewelry themselves. After the death of Agaphon Fabergé his position as the firm's leading designer was taken up by François Birbaum. By working hard the younger genera-tion of the Fabergé family established themselves

ном ювелирные изделия. Дочь Хольмстрема Хильма Алина была способной художницей и проектировала ювелирные украшения.

Август Холминг владел мастерской на Ка-занской ул., 35, с 1880 г. В 1900 г. она, как и все основные мастерские, переезжает в дом фирмы на Большой Морской, 24. Переехал туда же и А. Тилеман. Лишь серебреник Юлий Раппопорт остается в своей обширной и удобной для крупных работ мастерской на Екатерининском канале, 65. Кроме того, у Фаберже сотрудничали и другие мастера, имевшие относительную самостоятельность,

as talented jewelers. In the late 1890s the most talented graduates of the Stieglitz College of Design and Industrial Drawing joined the firm which by that time had expanded considerably. Among them was Ivan (Jan) Lieberg, Feodor Grunberg, Oscar May, Leiser Strich, Eugeni Jacobson and Vasily Zuev.

Fabergé was known to pay his designers from 6.000 roubles a year up to 10.000 roubles a year "in order always to have new designs that nobody else had." More than 20 designers are believed to have worked for the firm at the beginning of the century. The quality and variety of the goods were guaranteed by a catalogue issued by the Moscow branch of the firm where it was stated that "every single item whether its price be even lower than one rouble, is thoroughly and reliably executed" and that "firm jewelry are being modified to suit the latest fashion trends and requirements that result in the almost daily introduction of new models into the market. "The firm produced jewelry decorations for various strata of society and their prices differed enourmously ranging from 5–7 to 50.000 roubles.

By the beginning of the XX century the Fabergé House became a large store with a flexible structural system of its workshop and branches, each being independent to a certain degree and at the same time strongly connected with the firm. In the 1890s Fabergé modernised the equipment of his workshops. For instance, in 1896 there were already 25 steam-powered machines and 25 machine tools in the Moscow plant of gold and silver works. In comparison, Ivan Hlebnikov had about the same number of employees but only 2 steam-powered machines. Another Fabergé workshop in Moscow headed by Oscar Pihl numbered 38 workmasters and 11 machine-tools."[6] The total turnover of the Fabergé House workshops in Moscow was 430.000 roubles while Hlebnikov's highest turnover was only 300.000 roubles. By 1910, when the House of Fabergé became a "Tovarishchestvo" (an association) on

со своим штатом работников, которыми они руководили и распоряжались по своему усмотрению. Работавшие за пределами фирмы, они также были связаны с Фаберже договорами и делали вещи исключительно для него. Влияние личности Фаберже, его неявно выраженный диктат были настолько сильны, что всех этих разных мастеров он подчинил своей воле, привил им свои вкусы. Требования его были очень высоки, но при этом Фаберже давал творческую свободу, поощряя всякие новшества. Когда требовали интересы дела, он заботился о своих мастерах, стремясь, например, освободить их от воинской повинности, как это было во время первой мировой войны, когда он ходатайствовал о 23 мастерах. Среди них были ведущие специалисты его фирмы в тот период – Кремлев, Цыганов, Комаленков, Богданов, Петухов.[5]

Высокое качество изделий было основным требованием Фаберже. Оно зависело не только от высокого профессионализма рабочих и мастеров, но и талантливости художников, модельеров, скульпторов. В первые десятилетия основными проектантами были сами братья Фаберже, после смерти Агафона его место занял Франсуа Бирбаум, который стал главным художником фирмы. Много и успешно работали сыновья Фаберже. В конце 90-х гг. в связи с сильно возросшим объемом предприятия и выпускаемых изделий на фирму приходят молодые дизайнеры, лучшие выпускники Училища художественного и промышленно-технического рисования барона Штиглица. Среди них Иван (Ян) Либерг, Федор Грюнберг, Оскар Май, Лейзер Стрих, Евгений Якобсон, Василий Зуев. Как известно, Фаберже платил своим рисовальщикам от 6 до 10 тысяч рублей в год, „чтобы иметь всегда новые рисунки, которых у других нет". Считается, что в начале века в художественной студии фирмы трудились более 20 художников. Качество изделий и их разнообразие га-

a "by share" basis, "Fabergé and Cº". The firm capital was evaluated by Fabergé at 30.000.000 roubles.

The author of the article in the magazine "The Capital and the Estate" No. 2, 1914 states that "the Fabergé Russian jewelry workshop is one of the foremost in the world. In its branches in St. Petersburg and Moscow more than 500 craftsmen are working. Before the war their number in St. Petersburg was about 208 people. The firm is 70 years old. Fabergé is known as the Supplier to the Imperial Court and to another courts as well, as a supplier to American billionaires and the British nobility. These days he is working on the commission of the King of Siam." In this article the author gives some quotations from Fabergé: "Evidently if you compare jewelry firms such as Tiffany's, Boucheron's, Cartier's with mine you will probably find more jewels in their objects. You can find a necklace for the price of more than 150.000 roubles there. But they are just merchants, not artists of jewelry. An expensive piece of jewelry does not interest me in the least if its price reflects only a great amount of diamonds and pearls with which it has been decorated." This idea was often repeated by Fabergé and his creative credo is likely to be perfectly expressed in it. First of all, he was an artist and merchandising occupied a secondary position. So in this case the demand for his jewelry would increase.

The heritage of Fabergé's creative work had fortunate consequences. Time was kind towards him and now we can appreciate a great deal of the firm's works. About 400 of Fabergé's works are exhibited in museums of the Soviet Union and many of them can be found in private collections and in the houses of those people who do not even collect pieces of art. There are even more Fabergé works in the West. More than 500 works made by the firm were shown at the exhibition in Munich in December 1986 – February 1987. As a matter of fact this was only a small

рантирует прейскурант, выпущенный московским отделением фирмы, утверждающий, что „всякий предмет, будь стоимость не выше одного рубля, выполняется с должной тщательностью и прочностью“, и что „изделия фирмы часто подвергаются изменениям в зависимости от причудливых требований моды, вследствие чего ежедневно поступают в продажу новые фасоны“. Изделия предназначались для самых разных слоев общества, т. к. амплитуда цен огромна: от 5–7 рублей до 50 000.

Итак, к началу XX века магазин бриллиантовых вещей Фаберже превратился в крупное капиталистическое предприятие с гибкой структурой организации множественных мастерских и филиалов, с определенной свободой каждой из них и жестким подчинением главе фирмы. В 1890-е годы Фаберже модернизировал свое производство на основе современных достижений техники, оснастил мастерские станками. Так, например, в 1896 году на московской фабрике золотых и серебряных изделий на 200 мастеров приходилось 5 паровых машин и 25 станков. В то время как у Ивана Хлебникова приблизительно на такое же количество рабочих имелись 2 паровые машины. В другой московской мастерской Фаберже, руководимой Оскаром Пилем, работали 38 мастеров и насчитывалось 11 станков.[6] Общий оборот московских предприятий составил 430 000 руб., у Хлебникова Ивана в лучшие времена оборот достигал 300 000 руб. К 1910 г., когда фирма становится Товариществом на паях „К. Фаберже“, все предприятие оценивается им в 3 000 000 руб.

Автор заметки в журнале „Столица и усадьба“ № 2 за 1914 г. уверенно заявляет, что „Русская ювелирная мастерская Фаберже одна из первых в мире. В ее отделениях в Петербурге и Москве работает свыше 500 рабочих и рисовальщиков (в петербургских мастерских перед войной насчитывалось 208 человек.

part of Fabergé's production that could be found in private collections. We may say that none of his contemporaries, to say nothing of those who worked before him, can compare with Fabergé in terms of sensational success, popularity and the number of works. Having a great intuition, he managed to create pieces of jewelry that suited the most varied tastes.

His firm worked in a period that was very difficult for Russian culture. G. U. Sternin rightly says this in his manuscript: ". . . one of the characteristic features of the cultural life in Russia in that time was that art was being influenced as never before by the public's tastes and inclinations. The working out of new aesthetic principles reflected to the most part not the general ideological struggle of the epoch but the demands of quite dissimilar masses. All this was naturally taking place under conditions when relations between art and the public were quite spontaneous and often were affected by incidental factors."[7]

Industrial progress that brought mechanisation of various techniques of jewelry production to life resulted in an overflooding of the market of low-quality and decorative arts. The manufacturers were trying to cut down on expenses and to cut down on the time involved in technological processes. What is even more, superficial knowledge of different historical styles caused an untimely mixture of styles in one piece of jewelry. Rough eclecticism had very little in common with historical style. Individual artists, some businessmen, and art groups were like islands in this sea of industrialised poor taste.

Fabergé, being born in St. Petersburg and brought up in classical traditions, and owing to his artistic taste, chose the path of following definite historical styles which had been previously worked out during the history of applied art. These European styles could be easily understood by people of any nationality. These jewels could easily match any fabric. If a luxurious item

М. Л.) Существует уже 70 лет. Фаберже поставщик Государя и всех почти дворов; американских миллиардеров, английских богачей; на днях выполнялся заказ Сиамского короля". И далее автор цитирует Фаберже: „Понятно, если сравнить с моим делом такие фирмы, как Тиффани, Бушерон, Картье, то у них, вероятно, найдется драгоценностей больше, чем у меня . . . У них можно найти готовое колье в 1 500 000 рублей. Но ведь это торговцы, а не ювелиры-художники. Меня мало интересует дорогая вещь, если ее цена только в том, что насажено много бриллиантов или жемчугов". Эту мысль Фаберже высказывал неоднократно, надо полагать, что в ней заключается его творческое кредо. Прежде всего он ощущает себя художником, и только потом купцом. Что же, в таком случае и спрос с него должен быть более высоким.

Судьба творческого наследия Фаберже сложилась счастливо. Время пощадило его и до нас дошло огромное количество изделий фирмы. Только в музеях нашей страны насчитывается около 400 произведений, немало вещей хранится в частных коллекциях и в домах у людей, не занимающихся собирательством. Еще больше изделий Фаберже имеется на Западе. На последней выставке, проходившей в Мюнхене в декабре 1986 – феврале 1987 гг., было представлено свыше 500 работ фирмы. Естественно, что это лишь небольшая часть того, что находится в их собраниях и у частных лиц. Пожалуй, ни один современник Фаберже, не говоря уже о более ранних ювелирах, не может сравниться с ним ни в отношении сохранившегося наследия, ни в отношении того успеха и шумной славы, которые выпали на его долю. Фаберже обладал гениальным чутьем времени. Инстинктивно понимая его запросы, он сумел создать образцы искусства, точно соответствующие разным вкусам.

Период деятельности фирмы приходится на очень сложный момент в истории русской

The entrance to the premises of the Fabergé House in the former B. Morskaya street
(Hertsen street, a jewelry shop named "Yahont")

Вход в помещение магазина фирмы К. Фаберже на бывшей Б. Морской улице
(ул. Герцена, ювелирный магазин „Яхонт")

was commissioned, they used Louis XVI style or Empire style as the latter dominated at the beginning of the XXth century.

The main secret of Fabergé's tremendous success lies in the high quality of his production methods. In the workshops of his company, as in many other contemporary enterprises, various machine-tools were used such as a pressing machine, a turning lathe and a printing press, but in bringing any item to perfection, the work was done manually. Even inexpensive mass produc-

культуры. Очень емко сказал Г. Ю. Стернин в своем исследовании: „. . . одна из главных отличительных особенностей художественной жизни России рубежа двух веков в том и состоит, что искусство этой поры, как никогда раньше, испытывало сильнейшее воздействие зрительских вкусов и наклонностей, что формирование новых эстетических принципов отражало в это время не только общую идейную борьбу эпохи, но и столкновение очень конкретных художественных потребностей

tion that made the firm's economic basis adhered to a high level of quality. It is quite characteristic that almost every thing made by Fabergé had its own number etched onto it and written down in special registration books.

The Company's employees were working hard to modernise the production process, keeping all new ideas in secret from other firms. One of the firm's greatest inventions is surely the technique of enamel-making. The Fabergé Company worked out a great number of different color enamels. One could hardly find any equal to them in quality and variety. This never-dying art technique goes back to ancient times. The traditions of Byzantine and Old Russian Enamel making as well as the best example of French and St. Petersburg masters were being carefully studied by the firm's artists in the Hermitage enamel collection and abroad.

The Fabergé Company was no less known for using color hardstones in carvings. It worked mainly with semi-precious stones brought from the Urals. We must add that the tradition of using enamel hardstones has never been forgotten in Russia.

The Company's achievements in the sphere of miniature sculpture made from hardstones and precious stones was based on extensive knowledge of the qualities of stones and of the Japanese miniature sculpture Netsuke (Carl Fabergé had a large collection of Netsuke sculpture in his home in Bolshaya Morskaya).

A careful study of the works of Melchior Dinglinger, a German master of the end of XVII and the beginning of the XVIII century, helped Carl Fabergé and his brother Agaphon Fabergé to become outstanding masters of miniature mechanical toys. The brothers spent a lot of time examining Dinglinger's works in "Grüne Gewölbe" in Dresden.

In addition, Fabergé was well acquainted with mechanical toys of such famous masters as the Englishman James Cox and the Chinese Juan-

широкой и весьма неоднородной зрительской массы. Все это, разумеется, происходило в условиях, когда взаимоотношение искусства с потребителем складывалось стихийно и в него нередко вмешивались различные посторонние факторы".[7]

Технический прогресс, вызвавший к жизни механизацию многих процессов изготовления художественной продукции, привел к тому, что рынок был заполнен низкопробными, стандартизированными изделиями. Фабриканты стремились удешевить и ускорить процесс создания вещей, добиваясь количества за счет качества. Кроме того, поверхностное понимание исторических стилей приводило к чудовищному смешению их в одной вещи. Грубая эклектичность имела лишь внешнее родство со стилем историзма. Отдельные художники, предприниматели, различные кружки, как, например, Мамонтовский и Тенишевский, были островами в этом море промышленной безвкусицы.

Фаберже, урожденный петербуржец, воспитанный на классических образцах, в силу своей личной привязанности и деловой сметки выбрал как основной принцип своего творчества следование стилям, ставшим классикой в истории прикладного искусства. Эти общеевропейские стили понятны были людям любой национальности. Их формы и декор легко приспосабливались к любой вещи. Если необходимо было создать нарядное роскошное изделие, использовалась орнаментика стиля Людовика XV, для более строгих вещей или более простых применяли элементы стиля Людовика XVI или ампира, которые вообще стали преобладающими в начале XX века в период господства неоклассицизма.

Главное же, чем Фаберже покорил публику, это высоким качеством изделий. В мастерских фирмы, также как и на многих современных предприятиях, имелись различные станки — давильные, токарные, штамповальные, но

Min-Juan. All the above mentioned does not mean that Fabergé was not inventive in other spheres of jewelry art. He worked a lot with precious metals, particularly with quatre couleur gold and oxidised silver. In this sphere his firm achieved tremendous results in producing various alloys of gold ranging from white to red, green, and blue. In order to make these shades the workmasters added different amounts of copper, silver, nickel and platinum. Bringing the techniques of melting, polishing, chasing and engraving of metals to perfection, the firm's specialists achieved marvellous effects that made it possible to combine polished and matte surfaces in ornaments with colored gold.

In mastering his jewelers' skills, Fabergé based himself on the best inventions of his precursors in each sphere of jewelry technology. For instance, the oldest master of the Fabergé House, Erik Kollin, became a first-class goldsmith, studying the secrets of ancient masters while making replicas of Greek and Scythian masterpieces and gold platings of Russian icons from the Hermitage collection. Another master, Michael Perchin, was definitely familiar with the works of Paris and St. Petersburg jewelers of the XVIII century. Fabergé also kept in touch with V. Keibel, a famous jeweler of the first half of the XIX century, who worked in cart color, that is, in the technique of colored gold.

At the beginning of his career, like any other jeweler, Fabergé was mostly making pieces of jewelry that were decorated with stones set in gold cases. Numerous rings, carvings, bracelets, and necklaces – all that the Imperial Court, a rich and wealthy patron required.

But such like items do not live a long life. That is why we know actually nothing today about such works of Fabergé's. There are those of the opinion that he was not even good at it. It would be possible to rewrite this page of Fabergé's history with the help of numerous jewelry designs and drawings that were made by Fabergé and his

„доводка" изделия делалась вручную. Даже товары типовые, недорогие, которые фирма производила наряду с другими и которые составляли ее экономическую основу, выполнены на довольно высоком профессиональном уровне. Недаром почти вся продукция фирмы имеет еще и личные номера, процарапанные на металле, и зафиксированные в шнуровых книгах.

Сотрудники фирмы усердно трудились над усовершенствованием технологического процесса, нередко держа в тайне от конкурентов свои находки. Одним из значительнейших достижений фирмы надо признать технику производства эмали. У Фаберже была разработана богатейшая гамма цветных эмалей, равных которым по качеству и колористическому многообразию почти не было. Корни этого немеркнущего искусства уходят вглубь веков. Традиции византийского, древнерусского эмальерного искусства, а также прекрасные образцы ювелирного дела французских, женевских и петербургских мастеров изучались художниками фирмы на коллекциях Эрмитажа и за рубежом.

Не менее значительны были успехи предприятия Фаберже в обработке и использовании цветного камня, главным образом, уральских самоцветов. Надо оговориться, что традиция применения как эмалей, так и цветных камней в русском художественном промысле никогда не прерывалась.

Достижениям в области миниатюрной скульптуры из цветных и драгоценных камней способствовали превосходное знание свойств самих камней, а также японской миниатюрной скульптуры – нэцке – (большую коллекцию которых К. Фаберже собрал в своем доме на Большой Морской).

Добиться выдающихся достижений в области миниатюрной механической игрушки Фаберже помогло превосходное знание работ немецкого мастера конца XVII – начала

A safe made by the firm "S. J. Arnheim" to store jewelry items in the central shop of the Fabergé Company in B. Morskaya street, 24 (Hertsen street)

Сейф изготовленный фирмой „С. Я. Арнхейм" для хранения ювелирных изделий в главном магазине фирмы К. Фаберже на Б. Морской улице, дом 24 (улица Герцена)

assistants and which were kept in the firm's archives. It is known that some albums with these drawings can be found in private collections. One of such albums with more than one thousand pictures in it gives us an opportunity to estimate the firm's designers' ideas and shows the firm's stylistic development beginning from the 1880s up to 1916, that is, for the entire time that the company was in operation. The earliest pictures show us brooches and tiaras in the forms of flowers,

XVIII в. Мельхиора Динглингера, которые Карл Фаберже, а позже его брат Агафон изучили в Дрезденской сокровищнице – Грюне Гевольбе.

Кроме того, Фаберже знал подобные же работы английского и китайского мастеров, таких как Джеймс Кокс, Юань Мин Юань.

Сказанное не означает, что в других областях ювелирного искусства Фаберже не внес своих усовершенствований и не достиг нового, более высокого уровня, особенно в области обработки и использования драгоценных металлов, в частности цветного золота и оксидированного серебра. Фирма добилась здесь исключительных успехов в создании сплавов цветного золота – от белого до красного, зеленого, голубого, используя для этой цели добавки в различных пропорциях меди, серебра, никеля, платины. Совершенствуя технику плавки, полировки, чеканки, гравировки металла, мастера фирмы получали блестящие эффекты, сочетая на одном предмете матовые и полированные поверхности с орнаментами из цветного золота.

Совершенствуя свое ювелирное мастерство, Фаберже опирался на лучшие достижения своих предшественников в каждой из областей творчества. Так, например, старейший мастер фирмы Эрик Коллин стал первоклассным знатоком возможностей золота, изучив достижения античной торевтики, копируя греческие и скифские изделия, золотые оклады икон XVII–XVIII вв. в галерее драгоценностей Эрмитажа, а Михаил Перхин несомненно был знаком с работами парижских и петербургских ювелиров XVIII столетия. Еще живы были традиции известного петербургского ювелира первой половины XIX века В. Кейбеля, прекрасно владевшего техникой цветного золота.

Начинал Фаберже, как и всякий другой ювелир, с изготовления ювелирных украшений из драгоценных камней, оправленных в

bouquets, plants and branches, practically without any stylisation. Everything looks very natural. This was characteristic for the 1880s. At the same time, in some pictures we see the elements of neo-rococo style. All kinds of jewelry designs

A trade mark of the Berlin firm "S. J. Arnheim"

Торговый знак берлинской фирмы „С. Я. Арнхейм"

золото. Многочисленные кольца, серьги, браслеты, ожерелья – все это в большом количестве требовал двор, богатый заказчик и широкий покупатель.

Но это изделия самые недолговечные и сейчас мы о Фаберже-ювелире по сути дела ничего не знаем. Существует даже мнение, что данная сторона его деятельности была не самой сильной. Восстановить эту страницу в истории фирмы можно было бы по рисункам, проектам ювелирных украшений, которые во множестве создавались самим Фаберже и его дизайнерами и, наклеенные в альбомы, хранились в архиве фирмы. Известно, что сейчас на руках у людей имеются несколько таких альбомов. Один из них, насчитывающий свыше тысячи рисунков, дает возможность оценить дизайнерскую мысль художников фирмы, проследить стилистическое развитие этого вида творчества, начиная с 1880-х годов и до 1916 г., т. е. на протяжении всей деятельности предприятия. В ранних работах художник изображает ювелирные изделия – броши, диадемы – в виде цветов, букетов, веток растений, натурально трактованных, с подчеркнуто конкретными природными особенностями. Такой натурализм был характерен для 80-х годов. Почти одновременно в рисунках появляются мотивы неорококо. Завитки рокайля в разных модификациях непременные спутники большей части проектов вплоть до начала века, постепенно уступая место более строгим линиям неоклассики, сочетаясь, однако, с цветочными гирляндами и букетами, т. е. элементами, являющимися выразителями стиля Людовика XVI.

Значительная группа рисунков, выполненная с большим изяществом и артистизмом, относится к неоклассицизму первого десятилетия XX века. Художник воплощает свою идею в геометрически чистых элементах, обнажая ясную выразительную линию композиции.

of rocailles can be seen in jewelry designs up to the beginning of the XX century. They gradually gave place to more austere neo-classical lines although flower garlands and bouquet groups remained characteristic of the Louis XVI style.

A great number of drawings executed with great skill and elegance can be classified in the neo-classicism of the first decade of the XX century. The artist brings his ideas to life using clear geometric forms showing the dominant elements of the main composition.

We cannot find many drawings in the modern style, which is not surprising as Fabergé was not fond of it. But quite a few elements of the art-deco style can be clearly seen in the works dating from the last decades of the company's existence. This style would be dominant only until the middle of the 20's. But it does affect the designs for the firm's production of "fancy" objects, such as various kinds of snuff-boxes, cigarette cases, frames for photographs and different show-cases, miniature bureaus, pianos and the like.

We must emphasize that Fabergé greatly enhanced the assortment including such objects in everyday life. The company produced small works of art out of compasses, barometers, thermometers, cane heads, matchboxes, cigarette lighters, writing sets, dinner bells and many other things. It was a conscious desire on his part "to blend everyday life and art into one and the same thing".

Speaking of silverware – services, decorative table sets, vases, decanters, carafes and ewes we cannot but mention that their quality shows no decline. In the Hermitage collection we can find some preparatory sketches of surtout-de-tables. Those marked for Alexandra Feodorovna are in the rococo or Louis XV styles. There are also some sketches in the Empire style, for example, those depicting swans. We can also find some designs for pieces of a toilet set which is perhaps an imitation of a similar set from the Hermitage collection done by the XVIII century Paris silver-

Совсем немного рисунков создано в стиле модерн, что вообще характерно для художественного творчества Фаберже, который весьма сдержанно относился к этому стилю. В то же время в ряде проектов последних лет деятельности фирмы явно просматриваются элементы стиля art deco, стиля, который придет только в середине 20-х годов. Те же стилевые решения отличают и так называемую галантерейную продукцию фирмы – табакерки, портсигары, бонбоньерки, коробочки, шкатулки, рамки для фотографий, разного рода безделушки – маленькие витринки, шкафчики, каретки, рояли и т. п.

Здесь хотелось бы заметить, что Фаберже, как никакой другой ювелир, в то время сильно расширил ассортимент изделий за счет казалось бы чисто утилитарных вещей. Фирма превращала в художественные изделия компасы, барометры, термометры, набалдашники тростей, спичечницы, зажигалки, письменные приборы, настольные звонки и т. д. Это было вполне осознанное „стремление сделать быт искусством, а искусство бытом".

Говоря о столовой серебряной утвари – сервизах, настольных украшениях, вазах, графинах, кувшинах – надо отметить такую же тщательность исполнения в лучших вещах. В Эрмитаже хранятся подготовительные рисунки нескольких surtout-de-tables в том числе сделанные в стиле рококо и Людовика XVI, предназначенные для Александры Федоровны. А также имеются проекты в стиле ампир – сервиз с лебедями. Несколько листов с предметами туалетного прибора, образцом для которых возможно послужил туалетный прибор парижского серебряника XVIII века Франсуа Тома Жермена, хранящийся в Эрмитаже. В творчестве Фаберже прямые реминисценции старинных изделий и заимствования встречаются неоднократно.

Таким образом, художники фирмы Фаберже шли в русле тех современных стилевых ев-

smith François Thomas-Germain. A lot of direct recollections and reproductions of the works of earlier periods can be frequently seen in Fabergé's production.

So we can say that the artists of the Fabergé Company were working within the traditions of contemporary European art trends that formed the background of general processes at work in the cultural development of the last decades of the century. Working within traditions of historical styles the artists of the company were not trying to invent new stylistic forms. The inventions of Lalique and Tiffany interested The Fabergé company only in terms of their advanced technology. This can be discerned by the number of commissions reflecting the tastes of the well-to-do bourgeois who wanted to have something "from Fabergé" in their homes.

The main principles of late academism can be clearly seen in those two or three trends of Fabergé's creative activity that actually made him famous: miniature stone carvings and the so called Kunststücks, that is, Easter eggs with hidden surprises.

Fabergé's animals made with an unerring choice of hardstones to represent the feel of fur, feathers, or fish scales will amaze you by their natural look. These imitations are irresistible. We cannot say for sure what inspired Fabergé to start making these animals. Perhaps it was Netsuke or maybe it was Chinese stone flowers. But what differentiates Fabergé's animals from the works of Japanese and Chinese masters is that the latter are sophisticatedly stylised and evoke our imagination and associative thinking, while the works by Fabergé are simply masterfully rendered copies of nature. It is not an artistic image itself that we appreciate but the talent of the master who made the carving.

In 1900, at The World's Fair in Paris, among the stone flowers and miniature carvings and enamels that so greatly impressed the public were the famous Fabergé Easter eggs. The idea

ропейских направлений, которые составляли основной фон в общей картине развития искусства последних десятилетий. Будучи приверженцами исторических стилей, они не стремились к поискам новых стилевых решений. Достижения Лалика или Тиффани были чужды Фаберже и интересовали фирму лишь с точки зрения усовершенствования технологии. Безусловно, это было связано не столько с личными вкусами владельцев фирмы, сколько с вкусами и запросами заказчиков, богатых буржуа, желавших непременно иметь вещичку „от Фаберже".

Основные принципы позднего академизма наиболее глубоко и последовательно выразились в тех двух видах художественного творчества Фаберже, которые собственно и принесли ему славу – каменной мелкой пластике и в создании своего рода кунстштюков – пасхальных яиц с сюрпризами.

Натуралистический иллюзионизм фигурок – зверей и птиц, животных, цветов – в первый момент ошеломляет. Удивительна точность передачи живой природы. Однако нэцке и китайские цветы-камень, послужившие, как гласит предание, толчком к созданию подобных изделий, сделаны с той мерой обобщенности, недосказанности, которая сообщает им глубокую образность. Они дают возможность дальнейшего размышления и домысливания, являясь как бы исходным моментом в цепи ассоциативных связей. В то время как цветы и зверюшки Фаберже суть лишь красивые копии. Банальна мысль художника их задумавшего и прямолинейно пластическое решение. Поражает в этих изделиях не художественный образ, а искусство камнерезов, умелое владение эффектными ремесленными приемами.

На Всемирной парижской выставке 1900 года наряду с каменными цветами, безделушками, эмалевыми изделиями публику поразили пасхальные яйца. Идея изготовления пасхальных яиц не была такой уж оригинальной.

of Easter-egg-making was not actually Fabergé's invention. He, in this sense, worked within a very old tradition. The tradition of Egg painting had been known in Russia for a long time and has a definite symbolical meaning. Easter eggs made from such materials as glass, porcelain, hardstones and various semi-precious stones were common in Russia. No less traditional were all kinds of small objects for various purposes (such as watches, clocks, vases, toys and so on) shaped in the form of an egg. In the Gold Room of the Hermitage there are egg-shaped objects that Fabergé used in his work. He had excellent pieces of jewelry and art to study and to use as models. We can conjecture that the innovation of Fabergé was in the intricate mechanism of his eggs, the exquisite surprises that they contained, and the high quality of his mechanical jewels.

Nowadays when we are surrounded with mass production goods, the interest in Fabergé's pieces of art increases. Being so exquisitely produced, his objects are as if retaining the warmth of human hands. These objects are living witnesses to the peak in jewelry art at the end of the XIX and the beginning of the XX centuries, when this type of art was flourishing under less than favourable conditions.

Dr. Marina Lopato
Curator of Goldsmith Work
of the Department of West-European
Art of the Hermitage

Фаберже следовал давно сложившейся традиции. Обычай украшения яиц к пасхе уходит в далекую древность и имеет вполне определенное символическое значение. Создание пасхальных яиц из различных материалов – стекла, фарфора, цветных и полудрагоценных камней было обычным явлением в России. Не менее традиционным было создание предметов различного назначения (несессеров, часов, ваз, подвесок, игрушек) в виде яиц. В Особой кладовой Эрмитажа хранятся изделия, послужившие образцами для работ Фаберже. Таким образом, Фаберже имел перед собой великолепные образцы даже в ювелирном исполнении. Новизна заключалась, по-видимому, в том, что он с годами усиливал сюжетную сторону своих изделий, завоевывая сердца заказчиков различными неожиданными сюрпризами, сложностью и искусностью исполнения этих дорогостоящих игрушек.

В наше время производство фабричной, массовой, обезличенной продукции, интерес к работам Фаберже становится особенно острым. Помимо того, что эти вещи мастерски сделаны, они еще как бы хранят тепло человеческих рук. Это – живые свидетели взлета ювелирного искусства на рубеже веков, несмотря на все те неблагоприятные условия, в которых развивалось художественное ремесло.

М. Лопато
Кандидат искусствоведения,
заведующая сектором Эрмитажа

1. ЦГИА СССР, ф. 472, оп. 43, д. 130, лл. 1–4.
2. ЦГИА СССР, ф. 472, оп. 38, д. 38, л. 1 Благодарю В. В. Скурлова, указавшего мне на эти документы.
3. ЦГИА СССР, ф. 468, оп. 8.
4. ЦГИА СССР, ф. 468, оп. 8, д. 44.
5. ЦГИА СССР, ф. 468, оп. 8.
6. ЦГИА СССР, ф. 468, оп. 8.
7. Стернин, Г. Ю. Художественная жизнь России на рубеже XIX–XX веков. М., 1970, с. 27.

The Fabergé pieces in the collection of the Department of Russian History and Culture at the Hermitage

Произведения Фаберже в коллекции отдела русской культуры Эрмитажа

 he Fabergé collection of the Department of Russian History and Culture at the Hermitage consists of masterpieces of Russian jewelry art from the end of the nineteenth – the beginning of the twentieth century. This collection of itself is complete and expressive enough. The works of practically all the leading craftsmen of the House of Fabergé are represented: Michael Perchin, Julius Rappoport, Henrik Wigström, Hjalmar Armfelt, Anders Nevalainen, Fedor Afanassiev, Viktor Aarne, August Hollming, and Albert Holmström. The collection was built up over the years and now it consists of more than 100 pieces by the world-famous masters.

The Department of Russian History and Culture in the Hermitage was set up in 1941 in order to house the collections from one section of the Museum of Ethnography in Leningrad, which had retained the famous collections of the Jusupov, Sheremetiev, and Bobrinsky families. These collections formed the base of the Department's collection of precious metals. The early beginnings of the Fabergé collection also date from that time.

In 1951, articles produced by the Moscow branch of the House of Fabergé were transferred from the Repository of State Treasures to the Hermitage, and the collection was expanded with the addition of a number of significant items.

In 1956 a number of objects were transferred

 оллекция произведений фирмы Фаберже в отделе истории русской культуры Государственного Эрмитажа с достаточной полнотой и выразительностью знакомит с ювелирным искусством России конца XIX – начала XX века. В ней представлены произведения практически всех ведущих мастеров фирмы – Михаила Перхина, Юлия Раппопорта, Генрика Вигстрема, Ялмара Армфельта, Андерса Невалайнена, Федора Афанасьева, Виктора Аарне, Августа Холминга, Альберта Хольмстрема. Коллекция складывалась в течение многих лет и сейчас насчитывает более 100 произведений прославленных мастеров.

В 1941 году в Государственном Эрмитаже был основан отдел истории русской культуры. В основу его собрания легли коллекции историко-бытового отдела Государственного музея этнографии, в составе фондов которого были прославленные коллекции Юсуповых, Шереметевых, Бобринских. Они составили ядро собрания драгоценных металлов отдела, тогда же началось формирование коллекции фирмы Фаберже.

В 1951 году при передаче Государственному Эрмитажу части материалов из Государственного хранилища драгоценностей – Гохрана – наше собрание пополнилось целым рядом интересных экспонатов, выполненных московским отделением фирмы Фаберже.

A cup with the portrait of Michael Perchin

Чашка с портретом Михаила Перхина

from the Central Depository of the Leningrad Environs Palaces to the Department of Russian History and Culture, among them a marvellous collection of small "trinkets", each of them a masterpiece of the jeweler's art. No one is like another, neither in style of decoration, nor in the delicate range of magnificent colors, painted in semi-transparent enamels on engraved backgrounds. In addition to these trinkets there were small Old Russian Masters' style icons in refined sets, all made by craftsmen from the House of Fabergé.

A great number of objects in the collection were given by private donors, or purchased through a special commission of experts during the last few decades, when interest in the art of the turn of the century was increasing all over the world. Some objects were received from the State fund for permanent keeping.

The collection is constantly being expanded with the addition of new objects and is enjoyed

В 1956 году при передаче предметов из Центрального хранилища пригородных дворцов в отдел истории русской культуры попала удивительная коллекция брелоков, являющихся настоящими произведениями ювелирного искусства. Они практически не повторяют ни декор, ни цветовую гамму великолепных полупрозрачных эмалей по гравированному фону. Тогда же поступили небольшие настольные иконы в изысканных оправах, выполненных мастерами Фаберже в стиле древнерусских мастеров.

Значительная часть экспонатов поступила через экспертно-закупочную комиссию от частных лиц, особенно в последние десятилетия, когда во всем мире возрос интерес к искусству конца XIX – начала XX вв. Некоторые предметы были переданы на постоянное хранение из Государственного фонда.

Коллекция постоянно пополняется и служит людям. Экспонаты выставляются как в нашей стране, так и за рубежом. Впервые наиболее полно с ними можно было познакомиться на выставке „Прикладное искусство конца XIX – начала XX вв.", которая проходила в Государственном Эрмитаже в 1974 году. На выставке „Русский художественный металл" (1981 г.) произведения фирмы Фаберже ярко проиллюстрировали картину русского ювелирного искусства начала XX века.

В 1981 году в г. Кельне (ФРГ) состоялась выставка „Русское ювелирное искусство", пользовавшаяся большим успехом. Наряду с шедеврами русских мастеров XVII, XVIII веков там экспонировались работы М. Перхина, Г. Вигстрема, Ю. Раппопорта. В 1886 году на выставке „Золото и серебро из Эрмитажа" в Лугано (Швейцария) среди замечательных произведений ювелирного искусства мастеров Франции, Англии, Испании, России работы ювелиров Фаберже отличались разнообразием форм, богатством декора, тщательностью исполнения. В 1986 году в Мюнхене (ФРГ) в

A medal "To remember Paris World Fair 1900" owned by M. Perchin

Медаль „В память Парижской выставки 1900 г." принадлежала М. Перхину

by thousands of people as it is exhibited in this country and abroad. The first time the collection was presented was in an exhibition entitled "Applied Arts – the end of the nineteenth – beginning of the twentieth century" which took place at the Hermitage in 1974. The 1981 exhibition "Russian Metal Arts" presented the Fabergé pieces as the flowering of Russian jewelry art at the beginning of the twentieth century.

An Exhibition of masterpieces by Russian masters, "Russian Jewelry Art" took place in Cologne, West Germany, in 1981. It was a great success. Masterpieces by Russian masters of the seventeenth and eighteenth century were exhibited along with works by M. Perchin, H. Wigström, and J. Rappoport. At the 1986 exhibition "Gold and Silver from the Hermitage" in other splendid works by great masters from France, England, Spain and Russia in variety of shape, design, decoration and thoroughness of workmanship. The 1986 Munich Kunsthalle exhi-

Кунстхалле состоялась монографическая выставка „Фаберже и его время". Это была первая выставка, на которой были показаны произведения фирмы Фаберже из многих музеев и частных собраний Европы и Америки. Принимал в ней участие и Государственный Эрмитаж. Летом 1988 года в Лиможе (Франция) на Всемирном бьенале по эмали посетители могли любоваться работами непревзойденных мастеров русской эмали, в числе которых были и мастера фирмы Фаберже.

На настоящей выставке представлено более 30 произведений наиболее известных мастеров из собрания отдела истории русской культуры. Мы старались представить не только все виды ювелирной техники, которыми в совершенстве владели мастера фирмы, но и разнообразный характер изделий.

Одним из самых известных мастеров был Михаил Перхин. Мастер, постигший секреты ювелирного мастерства самоучкой, создавал

Henrik Wigström

Генрик Вигстрем

August Holmström

Август Хольстрем

Viktor Aarne

Виктор Аарне

bition, "Fabergé and his Time", was the first to display Fabergé pieces from museums and private collections from Europe and America. The Hermitage also participated.

At the 1988 world Biennial in Limoges, France, visitors had the opportunity to view works by consumate masters of Russian enamel, among which were works by craftsmen who had been employed by the House of Fabergé.

More than 30 objects by famous craftsmen from the collection of the Department of Russian History and Culture are represented in the present exhibition. We have tried not only to represent all kinds of jewelry technique which the craftsmen of the House had perfectly mastered, but also the varied character of the works themselves.

One of the most well-known masters was Michael Perchin. This self-taught master craftsman created the most famous, beautifully refined works which brought world renown to the House

самые известные, самые изысканные произведения, которые принесли фирме Фаберже мировую славу: пасхальные яйца с секретами, табакерки, повторяющие произведения знаменитых петербургских и парижских мастеров XVIII века. На выставке представлена рамка для фотографии в виде наличника, украшенная красной полупрозрачной эмалью по гравированному фону в сочетании с белой глухой эмалью и накладками из позолоченного серебра в виде гирлянд и лент. Эта рамка является характерным произведением неоклассики, которая была одним из ведущих направлений в русском искусстве конца XIX – начала XX века.

Стопки в виде фигурок слоников выполнены М. Перхиным и его учеником и последователем Г. Вигстремом. Слоники достаточно натуралистичны, и в то же время мастера достигают необычайной выразительности несколькими твердыми штрихами, не добиваясь тща-

Albert Holmström
Альберт Хольстрем

Anders Nevalainen
Андрес Невалайнен

Alma Pihl
Алма Пиль

of Fabergé: Easter eggs with secret hidden treasures, and snuff boxes which were replicas of outstanding Petersburg and Paris masterpieces of the eighteenth century. Among his works is a frame made in the neoclassical style, typical of Russian art at the turn of the century.

The elephant-shaped wine cups were made by M. Perchin and apprentice and student H. Wigström. The elephants are rendered quite naturalistically, the masters achieving extraordinary expressiveness without elaborate overworking on the details. Henrik Wigström became one of the leading enamelers of the firm after the death of his teacher and mentor. Using various kinds of engravings as a background, he achieved marvellous enamel tints using one and the same color.

Julius Rappoport was a splendid silversmith. He took part in creating the famous replicas of Imperial regalias, which took the Grand Prize at the 1900 World Exhibition in Paris. Now they are

тельной проработки деталей. Генрик Вигстрем после смерти своего учителя стал одним из ведущих мастеров-эмальеров фирмы. Благодаря использованию различных видов гравировки фона, он находил удивительные оттенки эмали одного и того же цвета. Концентрическая гравировка на корпусе часов напоминает о неумолимом ходе времени, а сероголубая эмаль, постоянно меняющая цвет, намекает на его изменчивость и быстротечность.

Юлий Раппопорт был замечательным мастером-серебряником. Он принимал участие в создании знаменитых копий царских регалий, получивших Гран-при на Всемирной выставке в Париже в 1900 году. В настоящее время они экспонируются в Особой кладовой Эрмитажа. На выставке представлена одна из самых известных сторон его творчества – анималистическая скульптура. Графин в виде фигуры бобра поражает своим реализмом и тщательно-

Oscar Pihl
Оскар Пиль

Oskar Pihl
Оскар Пиль

August Hollming
Август Холминг

housed in the Gold Room at the Hermitage. He is famous also for his creative work in animal sculpture, which is also represented in the exhibition. There is a decanter in the form of a beaver, carefully worked so that the animal appears quite realistic, with accurate depiction of its soft and silky fur. The ash tray, made in the shape of a carp appears quite different. It is characterised by a touch of the Far Eastern motifs, which had considerable influence during the formative years of the modernist style. His work with semi-precious stones have left a vivid imprint in the history of Fabergé art. There is a silver-mounted rodonite (orlez) set for playing cards.

Reminiscent of the age of Elizabeth and Catherine I, Alexander I introduced into Russian applied arts not only decorative motifs typical of classicism and the baroque style, but also re-introduced old Russian motifs which took on quite a different sense at the beginning of the twentieth century. The Kovsh and Kruzhka* were fa-

стью отделки. Холодный блеск металла прекрасно передает шелковистую шкурку, ее мягкость и упругость. Совсем иначе выглядит пепельница в виде фигурки карпа. В ней явно угадываются дальневосточные мотивы, которые оказали влияние на формирование стиля модерн.

Работы мастера с полудрагоценными камнями вписали яркую страницу в историю искусства Фаберже. На выставке представлен набор для игры в карты, выполненный из родонита (орлеца) в серебре. Чистый ярко-розовый цвет камня перекликается с серебряной оправой, декор которой навеян мотивами рококо. Воспоминанием о прекрасном и далеком „осьмнадцатом столетии“, когда носили пышные фижмы и парики, а карточная игра была всеобщим развлечением, выглядят эти изящные держатели для мела и щеточки.

Воспоминания о веке Елизаветы Петровны, Екатерины Великой, Александра „Благосла-

---

* ed. note – Kovsh=ladle; Kruzhka=cup or mug

Hjalmar Armfelt   Ялмар Армфельт   The tools of Ivan Britsin   Инструменты Ивана Брицына

A portrait of Ivan Britsin   Портрет Ивана Брицына

венного" принесли в русское прикладное искусство не только декоративные мотивы, характерные для барокко и классицизма, они вернули и старые формы, которые в начале XX века наполнились совсем иным содержанием. Ковш и кружка – любимые жалованные подарки XVIII века. Но если ковши и кружки тогда – это роскошные, утяжеленные разнообразным чеканным узором знаки царской милости, то произведения, вышедшие из рук мастера Андерса Невалайнена, совсем иные. Их простые и четкие формы созвучны своей эпохе, это не знак монаршьей милости, а сувенир, воспоминание о давно прошедшем. Гладкие поверхности украшены глубокой темно-синей эмалью необычайно глубокого тона, а впаянные в дно и стенки монеты Петра I, Екатерины I, Елизаветы Петровны напоминают о тех временах, когда Россия была могучей и сильной державой.

Андерс Невалайнен пробовал себя в самых

voured gifts to have bestowed in the eighteenth century, but in those days the Kovsh and Kruzhka were splendidly decorated with varying chase. The Kovsh and Kruzhka made by Anders Nevalainen are quite different. Its lines are simple and clear in the style of the times. They are not marks of monarch's mercy, they are keepsakes, reminiscent of those days long past. The smooth, deep-dark blue enameled surfaces with inset (coins) of Peter I, Catherine I, and Elizabeth on the bottom and on the sides recalls the times when Russia was a Great Power, mighty and majestic.

Anders Nevalainen tried himself various materials. His works in wood and ceramics are well-known. There is a silver inkwell on a wooden base with a wooden note-book cover mounted in silver in the exhibition. The master used early classical motifs in creating these pieces. But writing implements were not always as simple and austere as those made by A. Nevalainen. There were desk-sets which served only for decoration or for show in study: inkwells that never had ink in them, paper-knives that never touched the pages of any book. An inkwell made by Fedor Afanassiev is one such. His works are rare in Soviet museums. This item gives an idea of his creative work. A heavy square nephrite base decorated with varicolored gold garlands with a spherica cover enameled a white opalescent with an engraved background. The perfect form, the juxtaposition of semi-precious stones with iridescent enamel, all are reminiscent of the works of the 18th century jewelers.

One popular series of Fabergé pieces are the electrical and mechanical table bells. The various housings are often made in the form of enamel-decorated animals, with brackets in the form of musical instruments. There are two silver bell housings by Victor Aarne, the Bratina* in the form of a chako is an exact replica of the Leib-Guard's field-engineer regiment chako brought into use in 1907. It was probably made in 1912 to

разнообразных материалах. Известны его работы с деревом, с керамикой. На выставке представлены серебряная чернильница на деревянном основании и деревянная обложки блокнота в серебряной оправе. В их декоре мастер использует мотивы раннего классицизма.

Но письменные принадлежности не всегда были такие строгие и простые, как у мастера А. Невалайнена. Существовали письменные приборы, которые служили только для украшения парадных кабинетов: чернильницы, в которые никто не наливал чернил, ножи для разрезания бумаги, которые никогда не касались книжных страниц. Одним из предметов подобного рода является настольная чернильница, выполненная мастером Федором Афанасьевым. Его работы очень редко встречаются в музейных собраниях СССР, и этот экспонат дает представление о его творчестве. Тяжелое квадратное нефритовое основание украшено накладными гирляндами цветного золота, оно завершено сферической крышкой, украшенной белой опалесцирующей эмалью по гравированному фону. Точная выверенная форма, сочетание полудрагоценных камней с переливающейся эмалью опять навевают воспоминания о работах петербургских ювелиров XVIII века.

Одной из популярных разновидностей работ Фаберже были настольные звонки, как механические, так и электрические. Их корпуса чрезвычайно разнообразны, они украшались эмалью, накладками в виде музыкальных инструментов, делались в виде фигурок животных. На выставке представлены два серебряных корпуса звонков, выполненных мастером Виктором Аарне. Волнообразные расходящиеся линии создают иллюзию звуковых волн, и декор удачно характеризует прикладную функцию предмета.

Братина в виде кивера является точной копией кивера лейбгвардии саперного полка, по

---

* Bratina (hist.) – winebowl.

Alexander Tillander

Александр Тилландер

commemorate the 100th anniversary of the regiment. The master Hjalmar Armfelt managed to depict the glitter of steel and the softness of plume in silver braid.

In addition to the works by the leading Petersburg branch craftsmen, there are several pieces produced by masters of the Moscow branch. These are the cooling vase, made at the beginning of the twentieth century in the "fin de siècle" style, a large bequest of Kovsh'es in Old Russian Style and other objects.

The Fabergé "Stone Zoo" always elicits great fascination among visitors to the collection.

всей вероятности, она исполнена в 1912 году к его 100-летнему юбилею. Мастер Ялмар Армфельт прекрасно передал в серебре и драгоценное шитье, и блеск стали, и мягкость перьев на султане.

Кроме ведущих мастеров Петербургского отделения фирмы, на выставке представлены работы московского отделения. Это – ваза-холодильник, сделанная в вначале XX века в традициях искусства конца XVIII в. и, по всей вероятности, являющаяся доделкой к сервизу, и большой подарочный ковш, выполненный в традициях древнерусского искусства.

These are various animal sculptures set of semi-precious stones. They appear quite realistic and even a bit humoresque. Ever quartzite piglets are on display in this part of the exhibition.

We do not attempt to present a comprehensive description of all the exhibits from the Department of Russian History and Culture. We have only touched upon those works which are representative for masters of the House of Fabergé. In a few years a comprehensive catalogue will be published, acquainting readers with all the Fabergé pieces kept in the various sections of the Hermitage.

K. A. Orlova,
L. A. Zavadskaya,
Research Assistants of
the Hermitage

Большой интерес зрителей всегда вызывает „каменный зоопарк“ Фаберже. Это разнообразные фигурки животных из полудрагоценных камней, реалистические и очень забавные. На выставке представлены фигурки поросят из беломорского кварцита.

Показ экспонатов из собрания отдела истории русской культуры не претендует на широту. Мы показываем произведения, которые характерны для творчества мастеров фирмы Фаберже. Через несколько лет выйдет в свет альбом-каталог, который познакомит читателей в полном объеме с коллекциями Фаберже, которые хранятся в различных отделах Эрмитажа.

Орлова К. А.
Завадская Л. А.
Научные сотрудники Эрмитажа

Works by Fabergé and Britsin at Petrodvorets

Произведения фирм Фаберже и Брицына в Петродворце

 here is a fine collection of over fifty art objects in the Fabergé collection at Petrodvorets. Many of them originated in Petrodvorets, while others have been added to the collection over the course of the last 10 years. The pieces in the collection which were preserved since before the war consist mainly of domestic, household objects belonging to the Imperial family; frames, vases, ash-trays, and other objects made as a rule by special commission. Over the course of the last few years the collection has been enriched not only in quantity but in quality as well, giving the visitor the opportunity to view the variety of techniques and materials employed by the masters in creating an abundance of artistic forms and giving full vein to the play of their rich imagination. In the collection there are objects made using the technique of polychrome enamel against a (guilloché) ground for which these masters gained world recognition. Their works in stone are also quite famous, represented by a table clock and a bottle shaped like an apple.

The silverwork is distinguished by the high level of technical refinement, as well as the rich elements of fantasy employed in their design. Among them are wedding wine glasses "Bears", and a bell made in the form of a cat. Two specially commissioned objects occupy an important place in the collection. These are a punch bowl and cup, the gift of two citizens of Finland; Sobolev and his wife. The bowl was made in 1916, commissioned by employees of the iron mine at

 оллекция изделий фирмы Карла Фаберже в собрании Государственного музея-заповедника города Петродворца насчитывает более 50 предметов. Сложилась она из произведений, изначально находившихся во дворцах Петергофа, и поступлений, главным образом, последних десяти лет.

Изделия фирмы, сохранившиеся из довоенной коллекции, – это, в основном, предметы быта и убранства интерьера: рамки для фото, вазочки, пепельницы и другие изделия, принадлежавшие императорской семье и выполненные, как правило, по заказу. Поступления последних лет значительно пополнили коллекцию не только количественно, но и позволили показать зрителям разнообразие техник, в которых работали ювелиры фирмы, материалов, используемых ими, обилие форм и богатую фантазию мастеров. Среди этих экспонатов работы в технике полихромной эмали по гильошированному фону, прославившие мастеров этого предприятия. Не менее известны работы фирмы и по обработке поделочных камней. В их числе, например, – настольные часы и флакон в виде яблока.

Изысканностью, высокой техникой обработки и фантазией отличаются изделия, выполненные из серебра. Среди них свадебные бокалы-шутихи „Медведи", звонок в виде моющейся кошки.

Особое место в коллекции занимают две заказные вещи: чаша для пунша и кубок-приз, принесенный в дар музею жителем Финляндии

Bryansk for the mining engineer V. G. Mukhin. It is made in Russian style, with perfect chasing enamel with monochrome paintings, semi-precious stones, a beautifully arranged inscriptions with the signatures of the employees who commissioned the bowl from the firm, and a list of the materials and techniques used by the master in creating this object.

The cup was commissioned by Nicholas I as a prize for the winner of the Great Sail Race which took place annually at Petergof. The prize was won by the Bergamus, a father and son who had come first in this race. The cup was made by V. Rappoport, one of the great masters of the house of Fabergé.

The Petrodvorets/Petergof collection of Fabergé objets d'art includes works by those masters whose level of craftsmanship made the House of Fabergé foremost in the world among art jewelers at the turn of the century. These craftsmen are known for rare, priceless works seldom seen on public display. Among them are the Finns: J. V. Aarne, Hj. Armfelt, A. V. Nevalainen; H. I. Wigström and the Russian jewelers: M. E. Perchin, J. A. Rappoport, A. Gorjanov, and V. Soloviev.

A special part of the collection belongs to the set of crystal mounted in silver. As a rule they bear the hallmark of the Moscow branch of the House of Fabergé. As only Petersburg artisans had the right to have their own personal hallmarks, many of the objects made by masters from the Moscow studio remain anonymous as to their maker. Nevertheless, they are wonderful objects of themselves. As an example, there is the perfectly shaped modernist-style pitcher and vase resting on a stand of three swans.

In 1911 several masters from the House of Fabergé set out on their own and organized an Art Artel. An announcement dating from that year reads "Former craftsmen from the House of Fabergé do engraving, make enamel jewelry, guilloché, and other objets d'art at the third Peters-

Е. Соболевым и его супругой. Чаша для пунша была выполнена в 1916 году по заказу сотрудников железных рудников Брянского завода для горного инженера В. Г. Мухина. Исполнена она в русском стиле. Прекрасная чеканка, поделочные камни, эмаль с монохромной росписью, изображающей виды Бранских рудников, красиво расположенные текст посвящения и подписи сотрудников, сделавших заказ фирме – вот тот довольно обширный арсенал изобразительных и технических средств, которыми воспользовался мастер при создании этого неординарного произведения.

Кубок был заказан Николаем II как приз за Большую парусную гонку, проводившуюся ежегодно Невским яхтклубом в Петергофе. Приз был выигран графами отцом и сыном Ф. Г. и Э. Ф. Бергами, ставшими первыми в этой гонке. Заказ был выполнен одним из лучших мастеров фирмы Фаберже Ю. Раппопортом. Ювелир использовал созданный еще в 18 столетии образ пышного барочного кубка: рокайльные завитки, высокая крышка с венчающим ее двуглавым орлом, юбилейные монеты и медали, впаянные в тулово и крышку. Тонкое чувство стиля, масштаб, тончайшая обработка металла, высококачественное золочение – все это выдает руку талантливого ювелира.

В петергофской коллекции изделий фирмы Фаберже довольно широко представлены имена мастеров, усилиями которых эта фирма утвердилась на первом месте в мире среди ювелирных предприятий конца XIX – начала XX века. Это и имена, встречающиеся во многих коллекциях и довольно редкие, известные только по единичным произведениям. Среди них финны Арне И. В., Армфельт К. Г., Невалайнен А. И., швед Вигстрем Г. И., русские ювелиры Перхин М. Е., Раппопорт Ю. А., Горянов А., Соловьев В.

Особую группу составляют изделия из хрусталя, оправленные в серебро. Как правило,

burg Art Artel of Jewelers"*. Several pieces produced by this Artel are in the collection. They are made in the best traditions of the Fabergé firm, and conform to the great traditions of Russian art jewelry.

There were many goldsmiths and jewelers carrying on successful business in St. Petersburg at the turn of the century. Many were producing objects similar to those made by the House of Fabergé in style and technique, though they were never employed by the House and were not commissioned for any particular pieces in the collection.

The name of Ivan S. Britsin, an artist and craftsman of outstanding ability deserves special mention. His works are relatively well-known, but surprisingly they are sometimes catalogued as items made by an unknown master. His hallmark is I. S. Britsin. He was born in 1870 of peasant stock, in the small village of Chasovni in Moscow province. After coming to St. Petersburg at the beginning of the century, he worked as an apprentice and later qualified as a master, setting up his own workshop for the manufacture of silver and gold articles in 1903. His workshop was located on Spassky St.

Britsin participated in an international exhibition in 1903. The pieces he exhibited there were a great success, bringing him a Malaya gold medal for his exceptional skill in enameling. It should also be mentioned that he was praised for the range of the actual colors of the enamels.

In 1910 Britsin opened a new workshop on M. Konushennaya Square near the Nevsky Prospect. The workshop was in existence until 1917, when it was closed down. During the twenties and thirties, Britsin worked in various artels and workshops. He died in 1952. The objects attributed to Britsin are made in the traditional Fabergé techniques of guilloché and transparent

они несут на себе марку московского отделения фирмы. И поскольку право собственного клейма было дано только петербургским мастерам, изделия ювелиров Москвы остаются безымянными, но не менее привлекательными. Подтверждением тому могут служить прекрасный по форме, выполненный в стиле модерн кувшин и ваза на подставке с тремя лебедями.

В 1911 году несколько мастеров из фирмы Фаберже выделились в самостоятельное производство, назвав себя художественной артелью. В объявлении за этот год указывалось, что „. . . третья Петербургская художественная артель ювелиров, бывших мастеров фирмы „Фаберже", принимает заказы на ювелирные, чеканные, эмалевые, гильоширные, граверные и другие художественные изделия"*. Произведения этой артели из петергофского собрания выполнены в лучших традициях фирмы Фаберже и подтверждают высокую марку этой школы.

В числе мастеров, работавших в Петербурге в конце XIX –начале XX века, есть несколько имен, которые упоминаются рядом с именами ювелиров фирмы Фаберже, когда речь идет о работах, близких по стилю и даже технологии производства. При этом они никогда не входили в фирму Фаберже и не привлекались ею для производства отдельных работ.

Среди них выделяется фигура Ивана Савельевича Брицына. Несмотря на то, что изделия этого мастера известны достаточно широко, произведения его, порой, публикуются как изделия монограммиста „И. Б."

И. С. Брицын родился в 1870 году в деревне Часовни Московской губернии, в семье крестьянина. В Петербург в начале XX века приехал учиться, по окончании учения он по-

---

* The workshop was located on the corner of the Catherine Canal and Demidov Street, No. 48/12, flat 12.

* Мастерская находилась на углу Екатерининского канала и Демидова пер., д. 48/12, кв. 12.

The exhibition of Fabergé's production from the collections of the members of the Imperial Family that took place in March, 1902 in one of the mansions belonging to Baron von Dervis on the English embankment, 34 or in the Middle Prospect, 48 of the Vasily island.

In the CSHA USSR we can find "The case of the Administrative body of the Imperial Court on the subject of Grand Dutchess Golytzina asking to provide the exhibition of artistic objects and miniatures by Fabergé with free show cases from the Imperial Hermitage museum." This case has the date on it – the 2nd of March, 1902. In her letter the Duchess M. M. Golytzina writes that "Her Majesty would like to have the exhibition of artistic objects and miniatures to be organised on the charity base and for this reason show cases are needed . . . Her Majesty kindly ordered me to ask you to give your permission to take the show cases for the reason that is mentioned above. The exhibition will last 3–4 days and is to be opened next Friday." This letter has the following answer: "Dear Alexander Alexandrovich, I ask you to read the letter of M. M. Golytzina that deals with furniture for the exhibition of Fabergé's production in the Hall of Nobility Meetings." (CSHA USSR, F. 472, book 43, unite 65, page 1–2). Having a look on the show cases, that can be seen on the photographs of that time and that are still being kept in the Hermitage, we can say that it is the exhibition they were talking about in the correspondence.

Some western authors wrote that in 1902 the Fabergé exhibition was housed in the Palace of the Grand Prince Vladimir Alexandrovich. So a question arises where did the exhibition actually take place? A study of the interiors shown in the photographs will help us to find the right place.

M. N. Lopato – curator of Jewelry Art Department of the State Hermitage

Выставка произведений К. Фаберже из коллекций особ императорского дома, состоявшаяся в марте 1902 г., в одном из особняков барона фон Дервиза – на Английской наб., 34 или на Среднем проспекте, 48 Васильевского острова (ЦГАКФФД, Е 14056 – Е 14063).

В Центральном Государственном Историческом архиве имеется „Дело Канцелярии Министерства Императорского Двора по ходатайству Светлейшей Княгини М. М. Голицыной о предоставлении имеющихся в Императорском Эрмитаже свободных витрин для выставки художественных вещей и миниатюр Фаберже" от 2 марта 1902 года княгиня М. М. Голицына в своем письме сообщает, что „Ея Величеству угодно устроить выставку художественных вещей и миниатюр с благотворительной целью: для этого нужны витрины. „. . . Ее Величество поручила мне просить Вас разрешить отпуск этих витрин для вышесказанной цели. Выставка будет продолжаться 3–4 дня и должна быть открыться в будущую пятницу". И далее ответ: „Дорогой Александр Александрович, прошу тебя прочитать прилагаемое письмо М. М. Голицыной об отпуске витрин для выставки произведений Фаберже в зале Дворянского собрания". (ЦГИА СССР, ф. 472, оп. 43, д. 65, л. 1–2).

Судя по витринам, запечатленным на фотографиях и до сих пор хранящихся в Эрмитаже, речь идет именно об этой выставке. Западные авторы писали, что в 1902 г. выставка Фаберже была организована во дворце великого князя Владимира Александровича. Таким образом, возникает вопрос где же состоялась выставка? Определение интерьеров, воспроизведенных на фотографиях, поможет установить точный адрес.

Лопато М. Н. – зав. сектором ГЭ

enameling. He also worked with precious gems and stone carving. There is a varied range of objects in the collection: table clocks, cigarette cases, bells, cuff-links, buckles, and writing implements.

It is difficult to ascertain whose designs the craftsman used, either he drew them himself or used prepared drawings made by another, taking the differing styles of his objects into account, one may conjecture that he was not always the author of the designs for his objects. We can say one thing for certain: Britsin himself worked as a jeweler, giving the more basic tasks to his apprentices.

It is known that Britsin had ties with one of the largest jewelry shops in Russia; that of I. A. Marshak in Kiev. Some objects made by Britsin bear the Marshak hallmark as well as that of Britsin's.

Among those objects attributed to Britsin

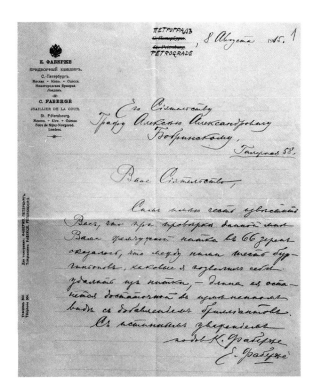

лучает 7 марта 1903 года диплом о присвоении ему звания мастера: „. . . И. С. Брицын по предъявленным документам и надлежащим испытаниям признан достойным быть мастером серебряного ремесла". И в том же году он становится одним из 147 владельцев собственных мастерских золотого и серебряного дела в Петербурге. Мастерская помещалась в Спасском переулке, дом 6.

Большой успех выпал на долю Брицына на Международной выставке новейших изобретений имени наследника цесаревича Алексея Николаевича, открывшейся 29 апреля 1909 года.

Его работы были удостоены Малой золотой медали „. . . за высокохудожественное исполнение эмалей по металлу".

Особо отмечались его достижения в создании новых цветов и составов эмалей. Этот успех позволил И. С. Брицыну в 1910 году открыть новую мастерскую вблизи Невского проспекта на М. Конюшенной, д. 12. Она просуществовала до 1917 года. Реклама мастерской гласила: „. . . золотые, серебряные и эмалевые ювелирные изделия . . .".

После закрытия мастерской, в 20-х–30-х годах И. С. Брицын работал в различных артелях и фабриках. Скончался мастер в 1952 г.

Основные работы Брицына выполнены в традиционной для Фаберже технике гильошированного фона с покрытием полихромной транспарантной эмалью. Однако работал он и с драгоценными и поделочными камнями. Состав изготавливавшихся вещей разнообразен: это и настольные часы, табакерки, звонки, запонки, пряжки, а также цанговые карандаши.

Сложно установить, чьи рисунки использовал мастер: собственные или пользовался уже готовыми образцами. Учитывая определенную разностильность, можно предположить, что он не всегда являлся автором рисунков изготавливаемых вещей. Достоверно можно

there are silver articles decorated in guilloché and enamel that bear indecipherable hallmarks.* It is quite possible that these objects were simply models.

I. S. Britsin was one of many masters whose works were quite widely known. The great success of the House of Fabergé at the beginning of the XXth century seems to have pushed other vivid phenomena of Russian art into the background, although an outstanding place in decorative arts of that period undoubtedly and deservedly belongs to Britsin.

N. V. Vernova
Curator of the Petrodvorets
Museum

сказать одно: И. С. Брицын работал сам как ювелир, давая подмастерьям только самые незначительные задания.

Фиксируются связи Брицына с одним из крупнейших ювелирных торговых домов России И. А. Маршака в Киеве: на некоторых работах, явно выполненных Брицыным, рядом с его клеймом стоит клеймо Маршака.

Среди вещей, принадлежавших И. С. Брицыну, есть изделия из серебра, украшенные гильошем и эмалями с нерасшифрованными клеймами*. Вполне возможно, что эти предметы были образцовыми.

И. С. Брицын был одним из многих мастеров, чьи изделия были широко известны. Но огромный успех фирмы Фаберже в начале XX века и полное забвение ее в России в дальнейшем, а в связи с этим отсутствие интереса к ювелирному искусству этого периода вообще, не способствовали проявлению внимания историков искусства к изучению и выявлению имен ювелиров, работавших рядом с прославленным Фаберже.

Главный хранитель ГМЗ в г. Петродворце
Н. В. Вернова

---

* Similar mark in the Köpenik museum (Berlin, GDR) deciphered as being of unknown German production.

* Аналогичное клеймо в музее Кёпеника (Берлин, ГДР) расшифровано, как неизвестное немецкое производство.

The Odessa branch of the House of Fabergé

Одесское отделение фирмы „Карл Фаберже"

One of the less studied aspects of the activities of the firm of Carl Fabergé is the work of its studios and workshops in Odessa. The jewelers of Odessa are little-known, not only to the general public but to experts as well. In the largest reference books of this country we find only 20 hallmarks for Odessa jewelers, five of whom had worked well before the abolition of serfdom.

Nevertheless, the jeweler's art was flourishing in Odessa (the city sometimes known as "The Southern Palmyra") at the beginning of this century. The reference-book "The Citizens of Odessa" (13) of 1893 lists the names of 15 craftsmen (and 20 craftsmen-watchmakers, among whom were jewelers, as well) in the chapter "Goldsmiths and jewelers".

In 1904 there were already 48 people (7) among those masters who had chosen trade certificates of the "Watches, gold, silver and diamond pieces" variety. Before World War I a rapid growth of the number of jewelers was observed; there were 62 (10) jewelry workshops and studios in 1912; there had appeared 84 more in a year by 1913 (11), and in 1914 there were already 113 such studios and workshops (12). In 1914 the office of the German jewelry firm "Maishofer I., Cº" is mentioned for the first time. Even during the war in 1917 the reference-book "The Whole of Odessa" lists 35 enterprises in the chapter "Gold and Silver" and 20 enterprises in the chapter "Diamonds", the House of Fabergé included.

Одна из наименее исследованных сторон деятельности торгового дома „Карл Фаберже" – это работа магазина и мастерских фирмы в Одессе. Одесские ювелиры малоизвестны не только широкой общественности, но и специалистам. На страницах крупнейшего в нашей стране справочника клейм отечественных ювелиров мы находим только 20 клейм одесских ювелиров, в числе которых 5 работали еще до отмены крепостного права.

Между тем, ювелирное дело в Одессе в начале нашего века было на подъеме. Справочник „Одессит" (13) 1893 года в разделе „Золотые изделия и ювелиры" указывает на 15 мастеров (а также 20 мастеров-часовщиков, среди которых также были ювелиры).

В 1904 году в числе лиц, выбравших промысловые свидетельства по группе „Часы, золотые, серебряные и бриллиантовые изделия", названы уже 48 человек (7). Перед первой мировой войной наблюдается бурный рост числа ювелиров: в 1912 году ювелирных мастерских и магазинов уже 62 (10), через год – 84 (11), а в 1914 году уже 113 (12), причем в 1914 году впервые встречается представительство немецкой ювелирной фирмы „Майшофер И., Ко". Даже в период войны, в 1917 году в разделе „золото и серебро" справочника „Вся Одесса" указано 35 предприятий, а в разделе „бриллианты" – 20, в том числе „К. Фаберже".

Одесса в начале века представляла собой

At the beginning of this century Odessa was a great commercial, industrial, and cultural centre of Ukraine and Russia. The population of the city was 403.000 in 1897, and grew to over 600.000 in the years prior to World War I. In those days Odessa was the third largest city in the Russian Empire, outstripping Riga, Kiev, and Warsaw.

In 1911 the tax office in Odessa brought in a tax income of 172.000 roubles (2.791.000 roubles from all over the country, including the Moscow office – 1.353, Petersburg office – 436 and Warsaw office – 406). In Odessa the growth of the tax income was 26 % (25) in comparison to 1910. The major part of Russian gold and silver-thread manufacture export was passing through the port of Odessa, the total sum being 489.000 roubles (5).

Naturally, C. Fabergé could not but pay attention to Odessa and founded a branch of his firm there as one of the main laws of capitalist production is the continuous expansion of its markets. It is necessary, however, to critically assess the date of the foundation of the Odessa branch of the House of Fabergé. 1890 is given in some books.

In Odessa reference books of 1890–1899 (even in detailed ones) the name of Fabergé or his representatives is not mentioned among jewelers, goldsmiths or silversmiths. Although it is quite possible that the firm and its commercial travelers had concluded one-time transactions in Odessa prior to 1900. This means that Eugene Fabergé was quite right regarding the exact date of the foundation of the Odessa branch (1900) in his memorandum to His Imperial Majesty's Cabinet in 1910 (14).

J. Sandomirskiy's "South-Russian Almanac" of 1900 includes this initial advertisement: "Carl Fabergé. Court craftsman of Gold, Silver, and Diamond Works. Odessa. Deribasovskaya Street, the Mendelevich House." By the end of 1899 a large, impressive building "The Passage", be-

крупный торговопромышленный и культурный центр России. В 1897 году численность населения города равнялась 403, а перед первой мировой войной – более 600 тысяч человек. В этот период Одесса прочно занимала третье место в Российской империи, опережая Ригу, Киев, Варшаву.

Одесское пробирное управление в 1911 году принесло казне 172 тысяч руб. пробирного дохода (всего по стране 2791 тысяч рублей, в том числе Московское управление – 1353, Петербургское – 436, Варшавское – 406). Рост пробирного дохода по Одессе к уровню 1910 года составил 28 % (25). Через Одессу проходила львиная доля русского экспорта золотого и серебряного канительного производства. Так, в 1911 году через Одесский порт вывезено за рубеж канительных изделий 4044 пуда на сумму 489 тысяч рублей (5).

Естественно, что К. Фаберже не мог не обратить внимания на Одессу и не открыть там свое отделение, поскольку одним из законов капиталистического производства является непрерывное расширение рынка. Следует критически оценить дату возникновения Одесского отделения фирмы Фаберже, которая дается в литературных источниках – 1890 год. В справочниках Одессы за 1890–1899 годы, даже в самых подробных, среди ювелиров, золотых и серебряных дел мастеров, фамилия Фаберже или его представителей не встречается. Хотя, вполне допустимо, что до 1900 года фирма и ее коммивояжеры осуществляли в Одессе разовые сделки. Значит, не случайно и не ошибочно указывает дату открытия Одесского отделения (1900 год) в 1910 году в докладной записке Кабинету Его Императорского Величества Евгений Фаберже (14).

„Южно-Русский Альманах" Ю. Сандомирского за 1900 год впервые дает рекламу: „К. Фаберже. Придворный фабрикант Золотых, Серебряных и Бриллиантовых изделий. Одесса. Дерибасовская улица, дом Менделеви-

longing to the Mendelevich brothers, was built at the corner of Deribasovskaya and Preobrazhenskaya streets. "The Passage" was the pride of commercial Odessa. It cannot be truly ascertained that in 1900, the Fabergé shop was situated in "the Passage" at 33, Deribasovskaya street. All the later reference books give a different address for this shop: 31, Deribasovskaya street. K. Snowman gives a photograph of this shop in one of his books. Silver vases (the style of which, by the way, reminds one of the style of the vases displayed at the Elagin exhibition of Fabergé works in 1989) are clearly seen in the shop windows. House No. 31 in Deribasovskaya street belonged to A. M. Brodsky. The workshop and the shop of a well-known Odessa jeweler and watchmaker, a merchant belonging to the top guild, Joseph Barzhansky (his trademark is known in the museums of this country) were housed in this building. In 1917 the "Japanese goods" shop with an extraordinary name "Kyakhta and the Louvre" was also housed in this building (8).

On the whole Deribasovskaya street was replete with jewelers. 18 jewelry shops and workshops out of 44 were to be found on Deribasovskaya street. This fact is mentioned in the reference book "The Whole of Commercial and Industrial Odessa" of 1914. The question "How do I get to Deribasovskaya street?" was no doubt on the mind of every potential buyer of an Odessa jewelers' articles.

The file from the Office of the governor of the town of Odessa "On the permission to open a factory of golden and silver articles by the House of Fabergé in 1, Tiraspolskaya street" (is kept) in the Odessa State Historical Archives. This file was opened on April 1, 1903. The application to the governor of the town was signed by Vladimir Drugov and Ivan Antony by warrant of the House of Fabergé. These two persons are quite remarkable. "Honorable citizen by birth Ivan Mikhailovich Antoni has been in the service of

ча". К концу 1899 года на углу Дерибасовской и Преображенской улиц был выстроен огромный красавец „Пассаж" братьев Менделевичей – гордость торговой Одессы. Нет подтверждений, что магазин Фаберже в 1900 году находился в „Пассаже", который по Дерибасовской улице считается как дом № 33. Все последующие по времени справочники дают адрес магазина Фаберже по Дерибасовской, 31. В одной из книг К. Сноумана приводится фотография этого магазина. Отчетливо видны на витрине большие серебряные вазы (кстати весьма напоминающие по стилю вазы, выставленные на Елагиноостровской выставке Фаберже в 1989 году). Дом № 31 по Дерибасовской улице принадлежал А. М. Бродскому (1). В том же доме помещались мастерская и магазин известного в Одессе ювелира и часовщика, купца I гильдии Иосифа Баржанского (именное клеймо которого известно в музеях страны), а в 1917 году в том же доме помещался магазин „японских товаров" с удивительным названием „Кяхта и Лувр" (8).

Вообще Дерибасовской улице „везло" на ювелиров. В справочнике „Вся торгово-промышленная Одесса" за 1914 год среди 44 адресов ювелирных мастерских и магазинов – 18 на Дерибасовской улице. Вопрос „Как пройти на Дерибасовскую?" в начале века был актуален для всех потенциальных покупателей изделий одесских ювелиров.

В Одесском государственном историческом архиве хранится дело канцелярии Одесского градоначальника „О разрешении торговому дому Фаберже К. на открытие фабрики золотых и серебряных изделий в д. № 1 по Тираспольской ул." Начато дело 1 апреля 1903 года. Прошение градоначальнику по доверенности торгового дома „К. Фаберже. Москва" подписано Владимиром Друговым и Иваном Антони. Обе личности весьма примечательные. „Потомственный почетный гражданин Иван Михайлович Антони, как писал в 1915

the court jeweler C. Fabergé since 1899, and the jewelry manager of the shop in Petersburg since 1906, he consistently carried out all tasks and orders given by the Cabinet of His Imperial Majesty to the Fabergé firm," – Agaphon Fabergé wrote in 1915 (17).

As for Vladimir Drugov, he founded his own business: "V. Drugov and C°" in Odessa later on. In 1911 he became the owner of the Odessa workshop (11). There is an advertisement "Buying pearls and diamonds. V. Drugov and C°. 21, Deribasovskaya, Odessa" (10). Unfortunately M. M. Postnikova-Loseva's reference-book does not include Drugov's trademark. Though Drugov's business seems to have been considerable. The applicants got their sought after permission on condition that 2 ventilators and 5 fortochkas (small opening window panes) would be installed". It is evident that labor protection laws were strictly enforced in Odessa. According to the file the workshop had 4 rooms, not including the manager's apartment. Permission to increase the number of workers up to 30 persons (at first there were not more than 20) was obtained. As a side note, permission to use these rooms was given by the architect L. Vlodek who is famous as the architect of "the Passage" of the Mendelevich family.

Final permission to open the manufactory in 1, Tiraspolskaya (the house of I. K. Kostroneo) was obtained relatively quickly the next year on February 26, 1904 on condition that all the workers would be given prescribed work-books and that they would work not more than 10 hours a day. In case of violation, whether the guilty were brought to trial or not the factory would be closed immediately by order of the management (16).

Discipline was very strict at the manufactory (Could this be one of the reasons for the firm's success?). There are some remarkable photographs in "The Regulations of the Gold and Silver works factory of the firm "Fabergé. Moscow"

году Агафон Фаберже, состоит на службе у Придворного ювелира К. Фаберже с 1899, а заведующим ювелирным отделением магазина в Петрограде с 1906 года, он же постоянно исполнял поручения и заказы, даваемые фирме Кабинетом ЕГО ИМПЕРАТОРСКОГО ВЕЛИЧЕСТВА" (17).

Что касается Владимира Другова, то он впоследствии открыл в Одессе собственное дело „В. Другов и К°". В 1911 году владельцем одесской мастерской был Н. Другов (11). Известна реклама: „Покупка жемчуга и бриллиантов" В. Другов и К° „Одесса, Дерибасовская, 21" (10). К сожалению, в справочнике М. М. Постниковой-Лосевой (15) клейма В. Другова нет. А „дело Другова", судя по всему, было немалое.

Просители получили искомое разрешение, но с условием „устройства двух вентиляторов и пяти форточек". Очевидно, дело охраны труда в Одессе было поставлено строго. Из дела выясняется, что помещение мастерской занимало четыре комнаты, помимо квартиры управляющего. Получено разрешение на увеличение числа рабочих до 30 человек (вначале – не более 20 человек). Кстати, давал „добро" на пригодность помещений архитектор Л. Влодек, известный в Одессе как строитель „Пассажа" Менделевичей.

Окончательное разрешение на открытие фабрики по адресу: Тираспольская, 1 (дом И. К. Котронео), было получено сравнительно быстро, почти через год, 26 февраля 1904 года, с условием „чтобы все рабочие были снабжены установленными рабочими книжками и число рабочих часов не превышало законных десяти часов в сутки, за нарушение чего, независимо привлечения виновных к судебной ответственности, фабрика немедленно будет закрыта по распоряжению администрации" (16).

Дисциплина на фабрике была строгая (может быть это одна из составляющих успеха

in Odessa" (17):

"Men are not allowed to use any indecent words while talking with female employees and visa versa, and none are allowed to talk to one another on indecent subjects". This means that women were also working at the factory. The priority in this sphere which one of the Kiev jewelers ascribed to himself is doubtful. In the same Regulations apprentices were not allowed to break the silence with noise, shouting, swearing, quarrelling and scuffling during their work; smoking of tobacco was not permitted in the rooms of the factory; nor was the anecdotes telling allowed during working hours; or to gather in groups to talk without any necessity" (that demand was quite unrealistic in Odessa, as Odessa anecdotes are quite popular – V. S.).

These Regulations were signed by the factory's manager V. Lundell on November 23, 1903.

Unfortunately numerous books on Fabergé and his firm do not include trademarks for the Odessa branch. It is evident that the major part of the Odessa firm's shop turnover were the articles by Moscow and Petersburg branches and the Kiev branch as well (when the latter was functioning in 1905–1910).

Evidently, the first manager of the Odessa branch was A. A. Bowe (Bo, he combined the jobs). In any case C. Fabergé wrote in 1901, "My friend Allan Andreevich Bo is my assistant and first manager – he showed himself to advantage being the manager of all my business at the Moscow factory and at the branches in Moscow and Odessa for 14 years" (18).

Kenneth Snowman (20) gives the names of the managers of the Odessa branch:

Allan Gibson (a Moscow Englishman) and Ivan Antoni, then George Piggot (a Moscow Englishman), Vladimir Orugov, George Krall (a Czech by origin), and Zinoviev before his death.

In fact, the reference book "Everything about Odessa" of 1912 gives us the name of G. A. Piggot as the representative of the Fabergé branch,

фирмы?). В „Правилах внутреннего распорядка фабрики золотых и серебряных изделий торгового дома „К. Фаберже." в Одессе" (17) имеются следующие примечательные пункты:

„Воспрещается мужчинам обращаться с невежливыми и неприличными словами к работающему на фабрике женскому полу и наоборот (? – В. С.) или вести между собою неприличные разговоры". Отсюда мы видим, что на фабрике работали женщины. Приоритет в этом направлении, который приписывал себе киевский ювелир И. Маршак, таким образом, под сомнением. В тех же Правилах „воспрещалось подмастерьям: нарушение тишины при работах; шумом, криком, бранью, ссорою и дракой; курение табаку в помещении фабрики; во время работы рассказывать друг другу анекдоты, или же собираться в группы для переговоров без необходимости" (почти невыполнимое для Одессы требование, учитывая всемирную популярность одесских анекдотов – В. С.).

Подписал указанные Правила 23 ноября 1903 года управляющий фабрикой В. Лундель.

К сожалению, в многочисленной литературе, посвященной К. Фаберже и его фирме, не приводятся образцы клейм Одесского отделения. Очевидно, что значительную часть оборота одесского магазина фирмы составляли изделия московского и петербургского отделений, а также киевского (в период работы последнего в 1905–1910 гг.).

Первым управляющим Одесским отделением (по совместительству) был, очевидно, А. А. Бове (Бо). Во всяком случае, сам К. Фаберже в 1901 году пишет: „Мой товарищ Аллан Андреевич Бо является моим помощником и главным устроителем – зарекомендовал себя в течение всех 14 лет при заведывании всеми моими делами по Московской фабрике и отделениями в Москве и Одессе" (18).

Кеннет Сноуман (20) приводит фамилии управляющих Одесским отделением: Аллан

55

and in 1913 and 1914 that of G. K. Krall. The manager of the Kiev branch was V. Drugov, who is known to us, who in 1911 (?) (after the closing of that branch) came to Odessa and founded his own business there.

According to Snowman these were the managers of the Odessa shop: Brokman (a Petersburg German), G. Lundell (died 1905), G. Niukkanen, then Filippov. Vladimir Nikolaev was once the manager of this shop.

The Odessa factory, as K. Snowman says, made small jewelry and silver work. Of the names mentioned above pieces with the hallmarks of G. Niukkanen and G. Lundell are known. Unfortunately, the names of the jewelers who worked at the Odessa branch of the firm are unknown, although Carl Fabergé mentions one name in 1916. He asks to exempt Komalenko from military service – "a very talented and useful artist who has tuberculosis of the lungs and thus I have sent him south to my Odessa branch to recover" (17, page 55, the Fabergé's application was signed by his son Agaphon).

1916 was a hard year for the Odessa branch of the firm. C. Fabergé points out the following in another petition to the Office of the Imperial Court, "During peacetime over 35 jewelers were working in my Odessa branch, now only 3 craftsmen are left. If these people are drafted (for military service – V. S.) then I shall have to close my Odessa branch and pay the high rent according to the contract right up to the end of the war" (21, page 40).

In the file on "The Deferment of military service" it is pointed out that "Komalenkov Ivan Ermilovich, a peasant, draft year 1913 (hence he was born approximately 1893 – V. S.) in Tarus uyezd (district) of Kaluga province, graduated from the Central College of Baron Stieglitz in Petrograd, enamel-craftsman" (21, page 31). C. Fabergé stresses that it is extremely necessary to exempt all the forementioned people from military service (Komalenkov is among them) (page

Гибсон (московский англичанин) и Иван Антони, затем Джорж Пиггот (московский англичанин), Владимир Другов, Георг Кралль (чех по происхождению), а после его смерти – Зиновьев.

Действительно, в справочнике „Вся Одесса за 1912 год представителем отделения Фаберже назван Г. А. Пиггот, а в 1913 и 1914 годах – Г. К. Кралль. Управляющим Киевского отделения был известный нам В. Другов, который после закрытия отделения приехал в 1911 году (?) в Одессу, открыв собственное дело.

Одесским магазином заведывали (по Сноуману): Брокман (петербургский немец), Г. Лундель (умер в 1905 году), Г. Нюкканен, затем Филиппов. Одно время управляющим был Владимир Николаев.

Одесская фабрика, как указывает К. Сноуман, изготовляла небольшие ювелирные и серебряные изделия. Из перечисленных выше фамилий известны изделия с клеймами Г. Нюкканена и Г. Лунделя (26). К сожалению, неизвестны фамилии мастеров-ювелиров, работавших в Одесском отделении фирмы. Правда, одну фамилию называет в 1916 году Карл Фаберже. Он просит освободить от службы в армии Комаленкова – „талантливого, очень полезного для меня художника, болен бугорчаткой легких, ввиду чего переведен мною временно для поправления здоровья на юг в мое Одесское отделение" (17, лист 55; прошение от имени К. Фаберже подписано его сыном Агафоном).

1916 год был тяжелым для Одесского отделения фирмы. В другом прошении Канцелярии Императорского двора К. Фаберже указывает: „В моем Одесском отделении в мирное время работало свыше 35 мастеров, в данное время осталось лишь три специалиста. Если эти лица будут призваны (в армию – В. С.), то должен буду закрыть мое Одесское отделение и платить до конца войны высокую наемную плату по контракту" (21, лист 40).

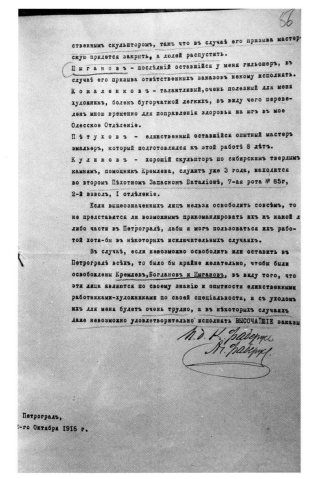

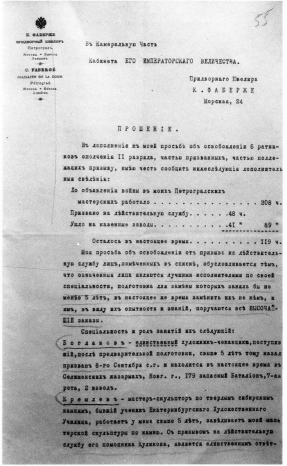

В деле по „Отсрочке призыва на воинскую службу" указано, что „Комаленков Иван Ермилович, крестьянин, год призыва 1913 (следовательно, год рождения около 1893 (В. С.), уроженец Тарусского уезда Калужской губ., окончил Центральное училище барона Штиглица в Петрограде, мастер-эмальер" (21, лист 31). К. Фаберже подчеркивает, что освобождение от службы упомянутых лиц (среди которых Комаленков) „крайне необходимо" (лист 35). В деле упоминается, что „означенные лица являются лучшими в его мастерских исполнителями" (лист 33). Такова оценка юве-

35). It is mentioned in the file that "those people are the best craftsmen of his workshops" (page 33), thus the estimation of the jeweler Komalenkov.

The names of the craftsmen who worked at the Fabergé firm are come across often quite unexpectedly, which is not extraordinary for Odessa. We can meet such advertisements on the pages of the Odessa reference books for those years, "N. P. Chistyakov, jeweler-craftsman, Odessa, former apprentice of C. Fabergé for many years and craftsman-teacher of art at the Emperor Stroganov Art College in Moscow, takes and repairs all kinds of jewelry, golden, chased, engraved and enamel works. Also makes all possible works for presents: medals, enamels, monograms and facsimiles. 17, Deribasovskaya (2). Or the less-complicated: "Chased-engraving and Jewelry Workshops of I. F. Semeonov, the former craftsman of FABERGÉ. 20, Ekaterininskaya, Grecheskaya crossing, Odessa" (2, page 405). In this advertisement Fabergé's name is spelled in capital letters and strikes the reader's eye at once.

The craftsmen's vanity can sometimes go too far, however, Nikulin, a citizen of Odessa, advertises himself in this way: "Jeweler P. A. Nikulin has been the first master of the Fabergé firm for many years. Enormous experience in this sphere gives me ability to understand my client and his wishes. I carry out all possible jewelry and engraving-chased works according to the latest foreign designs, those of my own, and the designs of the artist. I can also repair and alter old things. 13, Deribasovskaya, courtyard, second floor, Odessa" (6). How serious can we take this "first master", this "first craftsman"? In any case, many researchers on Fabergé have hardly heard of him.

In this "Russian Baedeker" of 1912–1913, the above-mentioned N. P. Chistyakov, calling himself "an experienced apprentice of Carl Fabergé" again, points out that "orders of visitors are car-

лира Комаленкова.

Несколько неожиданно, типично по-одесски, выясняются фамилии мастеров, работавших у Фаберже. На страницах одесских справочников тех лет встречается такая реклама: „Ювелир-специалист Н. П. Чистяков, Одесса, бывший много лет подмастерьем К. Фаберже и мастером-преподавателем искусства при Императорском Строгоновском Художественно-Промышленном училище в Москве, принимает заказы и починки на всевозможные ювелирные, золотые, чеканные, граверные и эмалевые работы. А также исполняет всевозможные работы для подношения: жетоны, эмали, монограммы и факсимилэ. Дерибасовская, 17 (2). Или проще: „Чеканно-Граверная и Ювелирная Мастерские И. Ф. Семенов, бывш. мастер ФАБЕРЖЕ. Одесса, Екатерининская 20, уг. Греческой" (2, с. 405). Фамилия Фаберже в тексте рекламного объявления набрана крупными буквами и сразу бросается в глаза.

Тщеславие мастеров не знает меры. Одессит Никулин дает себе такую рекламу: „Ювелир П. А. Никулин, много лет пробыл первым мастером в фирме К. Фаберже. Имея громадную практику в деле, что дает мне возможность понять заказчика и его желание, исполняю всевозможные работы, ювелирные и граверно-чеканные, по самым новейшим заграничным и собственным художника рисункам. Принимаю также починки и переделки старых вещей. Одесса, Дерибасовская, 13, во дворе, 2-ой этаж" (6). Насколько серьезно надо относиться к этому „первому мастеру"? Во всяком случае его фамилию многие исследователи Фаберже слыхали едва ли.

В том же „Русском Бедекере за 1912–1913 гг.", уже упомянутый Н. П. Чистяков, вновь аттестуя себя многолетним подмастерьем К. Фаберже, указывает, что „заказы господ приезжих, исполняю в самый короткий срок" (6, с. 131), ориентируясь таким образом на курортный спрос. Такая самореклама с по-

ried out in the shortest period of time" (6, page 131), thus he orients himself toward orders of the summer season. This self-advertisement with Fabergé's help shows us that it was not mere chance that the famous "children of Lieutenant Schmidt" were born in Odessa. It is no mere

мощью фамилии Фаберже показывает нам, что знаменитые „дети лейтенанта Шмидта" не случайно родом из Одессы. Но если серьезно, то налицо „феномен Фаберже", имя которого уже при жизни становится нарицательным. Не случайно латинский корень „фабер" означает

The tombstone on the grave of Karl Fabergé in Cannes

Надгробная плита на могиле Карла Фаберже в Каннах

59

chance that the Latin root "phaber" means "master" (or craftsman). The name Fabergé always meant the highest rank of jewelry mastery.

The history of the jewelers of Odessa would not be complete without mention of an article by the reporter (correspondent) of the Petersburg journal "The Jeweler" N. Lyashenko in No. 2, 1912 (22).

The author ascribes the low level technical training of "the personnel of jeweler-craftsmen" to the lack of technical and drawing colleges (art colleges) training junior apprentices and apprentices of gold- and silversmithery in Odessa. "True," Lyashenko goes on, "apprentices could have attended some schools in the capitals, but as the majority of them were Jews and the capitals were closed for them, so they had to get their training in poorly-equipped workshops." "The lack of practical knowledge (know-how) can also explain the fact that there are only 7–8 silversmiths in Odessa. They are able to make only the rudest and most simple pieces: spoons and forks; at the same time the workmanship of pieces made by the craftsmen from Moscow is very high and it can compete with ours without any difficulty." Isn't this the answer why there are few Odessa jewelers left?

"The Odessa craftsmen, making the so-called "harberdashery" which they send to the Caucasus and the Crimea complain that they have to cut down their manufacture for lack of first-class craftsmen although they have a lot of orders."

In those days the development of the manufacture of precious pieces of art, pendants, necklaces, medallions, and bracelets the designs for which some of the craftsmen received either from Switzerland (Zubkis for example) or Paris, was quite evident in Odessa.

From conversations with craftsmen making such pieces (J. Kogan, Purgalin, Shargorodsky, Shenderovich and others) I learned that those pieces of art were in great demand and that they could compete with similar pieces of art made

„мастер“. С именем Фаберже отождествлялась высшая степень ювелирного мастерства.

Рассказ об одесских ювелирах был бы неполным, если бы мы не упомянули статью корреспондента петербургского журнала „Ювелир“ Н. Ляшенко в № 2 за 1912 год (22).

Автор констатирует низкую техническую подготовленность „кадра одесских мастеров-ювелиров“, ввиду отсутствия в Одессе (в отличие от Петербурга и Москвы) технических и рисовальных школ, готовящих учеников и подмастерьев золотосеребряного дела. „Правда, продолжает Ляшенко, подмастерья могли бы посещать столичные школы, но так как большинство из них евреи, – доступ им в столицы закрыт и приходится свой подготовительный стаж проводить в невозможно плохо оборудованных мастерских“.

„Отсутствием знаний можно объяснить и то обстоятельство, что в Одессе всего 7–8 человек мастеров-серебряников. Они в состоянии выполнять только самые простые изделия: ложки и вилки, в то время как московские мастера выполняют на рынок высокохудожественные вещи и без труда конкурируют с нашими“. Не в этом ли ответ, почему так мало осталось изделий одесских ювелиров?

„Одесские мастера, продолжает Ляшенко, работающие т. н. „галантерейный товар“, сбываемый ими на Кавказ и Крым, жалуются, что за неимением дельных подмастерьев, они вынуждены сокращать производство, несмотря на то, что завалены заказами.

В последнее время в Одессе наблюдается развитие производства драгоценных художественных изделий, например, кулонов, колье, медальонов, браслетов, рисунки которых мастера получают одни из Швейцарии (например, мастер Зубкис), другие из Парижа.

Из бесед с мастерами, вырабатывающими такого рода изделия (Я. Коган, Пургалин, Шаргородский, Шендерович и др.), я узнал, что на такого рода художественные изделия

abroad. But as there were not enough local craftsmen who were able to make such pieces, they had to invite craftsmen from other parts of the country and from abroad.

The author concludes that it was necessary to establish a training school for jewelers in Odessa.

Unfortunately there is not any collection of Fabergé pieces in the regional Art Museum in Odessa though there is much in it to recall the outstanding jeweler. Looking at the pictures by L. F. Lagoris, whom Fabergé was acquainted with, one recalls that the artist's relative, A. E. Lagoris, the head of the Training Department of the Ministry of Trade and Industry, was one of the judges at the "competition of drawings on jewelry production named after the court jeweler C. Fabergé" in 1913. Looking at M. P. Klodt's canvases you recall another Klodt, Nikolai Alexandrovich, an artist who worked in the Moscow branch of the House of Fabergé. He was a teacher at the College of Painting, Sculpture and Architecture.

Another fascinating side of the history of the firm that is awaiting study is that of Deznitskaya, born in Odessa and wife of the King of Siam, and the court jeweler Fabergé. The story has it that the House of Fabergé was the first Russian firm to work in Siam and many pieces were commissioned by special order of the King, for example; some gifts from the Prince to his bride Deznitskaya, born in Odessa. In any case the pride of the Royal museum in Bangkok is a huge nephrite (jade) Buddha made by the Fabergé jewelers.

V. V. Skurlov, All-Union Scientific Research Institute of jewelry trade and industry "Russkiye Samotsvety"

существует значительный спрос, и что они могли бы конкурировать с такими же изделиями заграничной работы. Но опять-таки, за отсутствием достаточного количества местных мастеров, умеющих работать такие изделия, им приходится приглашать мастеров со стороны и даже из-за границы".

Автор приходит к выводу о необходимости открытия в Одессе технической школы по подготовке ювелиров.

К сожалению, в настоящее время в Одесском областном художественном музее нет коллекции изделий Фаберже, хотя многое в нем напоминает о выдающемся ювелире. Глядя на картины Л. Ф. Лагорио, с которым был знаком К. Фаберже, вспоминаешь, что родственник живописца, управляющий учебным отделом Министерства торговли и промышленности А. Е. Лагорио, был членом жюри на „конкурсе рисунков по ювелирному производству имени придворного ювелира К. Фаберже" в 1913 году. Рассматривая полотна М. П. Клодта, вспоминаешь другого Клодта, Николая Александровича, художника, работавшего в Московском отделении фирмы Фаберже, преподавателя Училища живописи, ваяния и зодчества.

Ждет своего исследования также такая увлекательная страница истории фирмы как: „Одесситка Десницкая – жена сиамского короля и придворный ювелир Фаберже". Дело в том, что фирма Фаберже была первой русской фирмой в Сиаме и по заказу тамошнего короля выполнила много изделий, возможно и свадебных подарков принца с одесситкой Десницкой. Во всяком случае, до сих пор гордостью королевского музея в Бангкоке является огромный нефритовый Будда, выполненный ювелирами Фаберже.

Скурлов В. В., ВНИИювелирпром ЛПО „Русские самоцветы"

Catalogue of the Exhibition

Каталог выставки

Vase with pea-garland
Petersburg, 1890s
Firm of C. Fabergé, workmaster V. Aarne

Ваза
Петербург. Начало 1890-х годов.
Фирма К. Фаберже, мастер В. Аарне

1

Vase
Petersburg, 1900
Firm of C. Fabergé, workmaster V. Aarne

Вазочка
Петербург. 1900 г.
Фирма К. Фаберже, мастер В. Аарне

2

Table thermometer
Petersburg, 1900
Firm of C. Fabergé, workmaster V. Aarne

Термометр
Петербург. 1900 г.
Фирма К. Фаберже, мастер В. Аарне

7

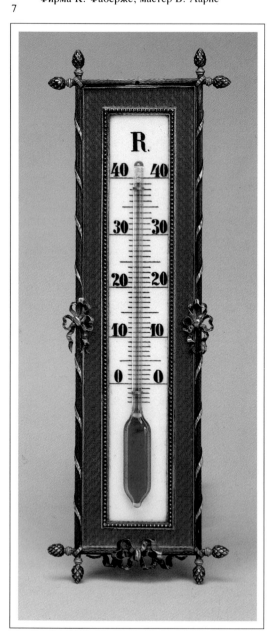

Bell-push
Petersburg, beginning of the XX c.
Firm of C. Fabergé, workmaster V. Aarne

Корпус механического звонка
Петербург. Начало XX в.
Фирма К. Фаберже, мастер В. Аарне

5

Vase
Petersburg, 1899–1903
Firm of C. Fabergé, workmaster V. Aarne

Вазочка
Петербург. 1899–1903 годы.
Фирма К. Фаберже, мастер В. Аарне

3

Jug
Petersburg, 1912
Firm of C. Fabergé, workmaster Hj. Armfelt

Братина в виде кивера
Петербург. 1912 г.
Фирма К. Фаберже, мастер Я. Армфельт

10

Dressing-table set of six articles
Petersburg, 1908–1917
Marks: Firm of C. Fabergé, workmaster Hj. Armfelt

Туалетный набор из шести предметов
Петербург. 1908–1917 годы.
Фирма К. Фаберже, мастер Я. Армфельт

13

14

Ink-stand
Petersburg, beginning of the XX c.
Firm of C. Fabergé, workmaster F. Afanassiev

Чернильница
Петербург. Начало XX в.
Фирма К. Фаберже, мастер Ф. Афанасьев

Sketches of mirror mount decor
H. Wigström

Эскизы декора окантовки зеркала
Г. Вигстрем

24

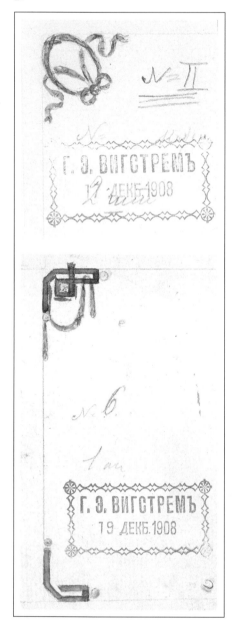

Sketch of walking-stick handle
Firm of C. Fabergé

Эскиз набалдашника
Фирма К. Фаберже

163

Sketch of walking-stick handle
Firm of C. Fabergé

Эскиз набалдашника
Фирма К. Фаберже

164

165

Sketch of walking-stick handle
Firm of C. Fabergé

Эскиз набалдашника
Фирма К. Фаберже

Buckle
Petersburg, 1908–1917
Firm of C. Fabergé, workmaster H. Wigström

Пряжка
Петербург. 1908–1917 годы.
Фирма К. Фаберже, мастер Г. Вигстрем

18

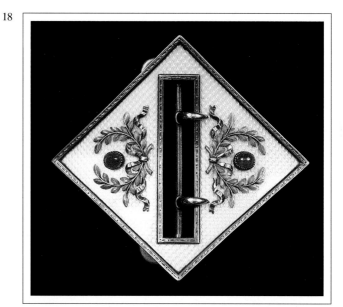

Bowl
Petersburg, 1880
Firm of C. Fabergé, workmaster E. Kollin

Чаша
Петербург. 1880-е годы.
Фирма К. Фаберже, мастер Э. Коллин

29

Table lighter
Petersburg, 1910
Firm of C. Fabergé, workmaster A. Nevalainen

Зажигалка
Петербург. А. Невалайнен

30

Table clock
Petersburg, 1903–1908
H. Wigström

Часы настольные
Петербург. 1903–1908 годы.
Г. Вигстрем

23

Turkey
Petersburg, after 1908
Firm of C. Fabergé, workmaster H. Wigström

Индюк
Петербург. После 1908 года.
Фирма К. Фаберже, мастер Г. Вигстрем

15

Clock
Petersburg, 1903–1908
Firm of C. Fabergé, workmaster H. Wigström

Часы настольные
Петербург. 1903–1908 годы.
Фирма К. Фаберже, мастер Г. Вигстрем

22

Kovsh
Petersburg, beginning of the XX c.
Firm of C. Fabergé, workmaster A. Nevalainen

Ковш
Петербург. Начало XX в.
Фирма К. Фаберже, мастер А. Невалайнен

31

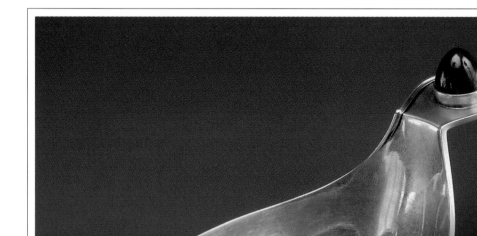

Tankard
Petersburg, beginning of the XX c.
Firm of C. Fabergé, workmaster A. Nevalainen

Кружка
Петербург. Начало XX в.
Фирма К. Фаберже, мастер А. Невалайнен

33

Handbell
Petersburg, about 1903
Firm of Fabergé, workmaster A. Nevalainen

Колокольчик
Петербург. Около 1903 года.
Фирма К. Фаберже, мастер А. Невалайнен

32

Brooch-buckle
Petersburg.
Firm of C. Fabergé, workmaster M. Perchin

43

Брошь-пряжка
Петербург. Начало XX в. М. Перхин

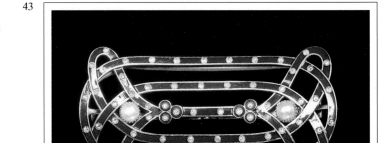

Ink-stand
Petersburg, beginning of the XX c.
Firm of C. Fabergé, workmaster A. Nevalainen

Чернильница
Петербург. Начало XX в.
Фирма К. Фаберже, мастер А. Невалайнен

40

Box in the shape of a table
Petersburg, 1900s
Firm of C. Fabergé, workmaster M. Perchin

Витринка настольная
Петербург. 1900-е годы.
Фирма К. Фаберже, мастер М. Перхин

44

Bell-push
Petersburg.
Firm of C. Fabergé, workmaster M. Perchin

Звонок
Петербург.
Фирма К. Фаберже, мастер М. Перхин

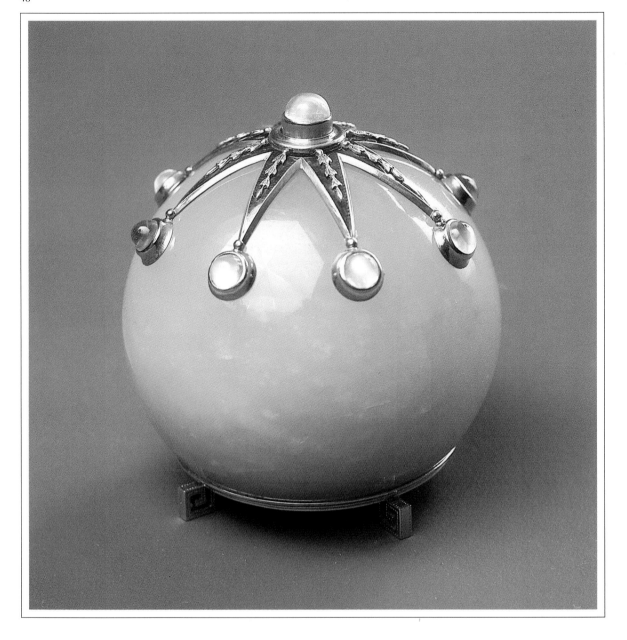

Box in the shape of a shell
Petersburg, end of the XIX c.
Firm of C. Fabergé, workmaster M. Perchin

Коробочка
Петербург. Конец XIX в.
Фирма К. Фаберже, мастер М. Перхин

Table compass
Petersburg, before 1903.
Firm of C. Fabergé, workmaster M. Perchin

Компас
Петербург. До 1903 года.
Фирма К. Фаберже, мастер М. Перхин

47

Frame with a portrait of a boy
Petersburg, 1899–1900
Firm of C. Fabergé, workmaster M. Perchin

Рамка с портретной миниатюрой
Петербург. 1899–1900 годы.
Фирма К. Фаберже, мастер М. Перхин

55

Frame
Petersburg, 1898
Firm of C. Fabergé, workmaster M. Perchin

Рамка
Петербург. 1898 г.
Фирма К. Фаберже, мастер М. Перхин

57

63

66

Box "Tortoise"
Petersburg, 1899–1903
Firm of C. Fabergé, workmaster M. Perchin

Шкатулка „Черепаха"
Петербург. 1899–1903 годы.
Фирма К. Фаберже, мастер М. Перхин

Flacon
Petersburg, end of the XIX c.
Firm of C. Fabergé, workmaster J. Rappoport

Графин в виде фигуры бобра
Петербург. Конец XIX в.
Фирма К. Фаберже, мастер Ю. Раппопорт

Table clock
Petersburg, 1896–1903
M. Perchin

Часы настольные
Петербург. 1896–1903 годы.
М. Перхин

61

Vase
Petersburg, 1890s
Firm of C. Fabergé, workmaster J. Rappoport

Ваза
Петербург. 1890-е годы.
Фирма К. Фаберже, мастер Ю. Раппопорт

Night-lamp
Petersburg, 1900
Firm of C. Fabergé, workmaster J. Rappoport

Лампа-ночник
Петербург. 1900 г.
Фирма К. Фаберже, мастер Ю. Раппопорт

69

Lamp in the shape of an amphora
Petersburg, 1890s
Firm of C. Fabergé, workmaster J. Rappoport

Лампа в форме амфоры
Петербург. 1890-е годы.
Фирма К. Фаберже, мастер Ю. Раппопорт

70

Brushes and chalk holders for a card-set
Petersburg, end of the XIX c.
Firm of C. Fabergé, workmaster J. Rappoport

Набор для карточной игры
Петербург. Начало XX в.
Фирма К. Фаберже, мастер Ю. Раппопорт

Glass-case
Petersburg, 1900
Firm of C. Fabergé, workmaster J. Rappoport

Настольная витринка-портшез
Петербург. 1900 г.
Фирма К. Фаберже, мастер Ю. Раппопорт

72

76

Inkstand
Petersburg
Firm of C. Fabergé,
workmaster J. Rappoport

Чернильница
Петербург.
Фирма К. Фаберже,
мастер Ю. Раппопорт

Coffee-spoon
Moscow, 1908–1917
Firm of C. Fabergé, workmaster F. Rückert
Tea-spoon
Moscow, 1908–1917
Artel II

Ложка кофейная
Москва. 1908–1917 годы.
Фирма К. Фаберже, мастер Ф. Рюкерт
Ложка чайная
Москва. 1908–1917 годы.
II-ая артель

78 216

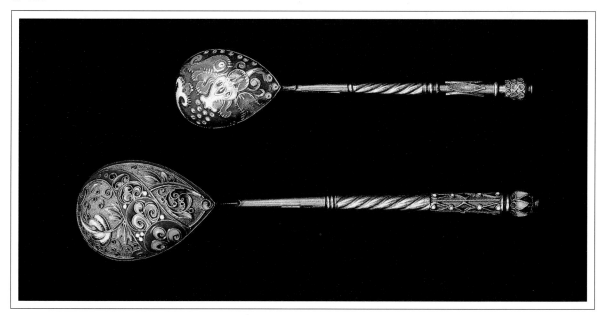

Brooch pendant "Sweetbrier Flower"
Petersburg. End of the XX c.
Firm of C. Fabergé

Брошь-подвеска „Цветок шиповника"
Конец XIX в.
Фирма К. Фаберже

85

Bratina
Moscow, ca 1900
Marks: Firm of C. Fabergé

Братина
Москва. Около 1900 года,
фирма К. Фаберже

83

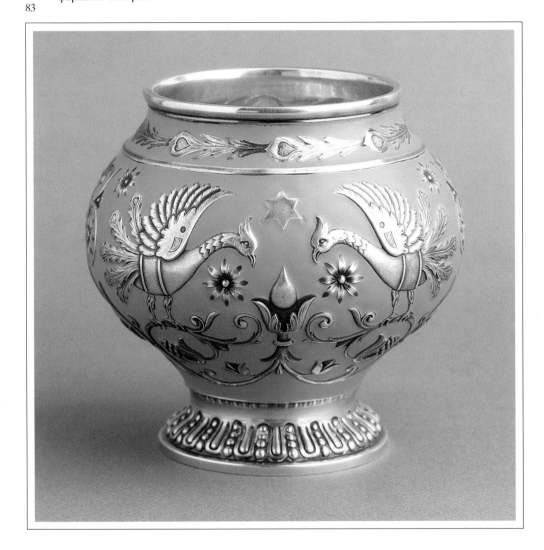

Bowl decorated with frogs
Moscow, beginning of the XX c.
Firm of C. Fabergé

Ваза
Москва. Начало XX в.
Фирма К. Фаберже

86

Kovsh
Firm of C. Fabergé

Ковш
Фирма К. Фаберже

98

Table decoration "Lizard nibbling a leaf"
Petersburg, 1901
Firm of C. Fabergé

Настольное украшение „Ящерица, грызущая лист"
Петербург. 1901 г.
Фирма К. Фаберже

Bowl
Beginning of the XX c.
Firm of C. Fabergé

Вазочка
Фирма К. Фаберже

90

Fruit-bowl
End of the XIX c.
Firm of C. Fabergé

Ваза для фруктов
Конец XIX в.
Фирма К. Фаберже

88

102

Box
Petersburg, beginning of the XX c.
Firm of C. Fabergé

Коробочка
Петербург. Начало XX в.
Фирма К. Фаберже

Unfinished seals
Petersburg, 1908–1917
I. Britzyn

Заготовки для печати
Петербург. 1908–1917 годы.
И. Брицын

183 184

Kovsh
Moscow (?) 1880s
Firm of C. Fabergé

Ковш
Москва (?) 1880-е годы.
Фирма К. Фаберже

99

Jug
Moscow, 1908–1917
Firm of C. Fabergé

Кувшин
Москва. 1908–1917 годы.
Фирма К. Фаберже

104

105

Wine decanter
Moscow, beginning of the XX c.
Firm of C. Fabergé

Кувшин
Москва. Начало XX в.
Фирма К. Фаберже

179

Pendant
End of the XIX c.
I. Britzyn

Брелок
Конец XIX в.
И. Брицын

Small chest
Moscow, 1900
Firm of C. Fabergé

Ларец-комодик
Москва. 1900 г.
Фирма К. Фаберже

107

Frame
Moscow, 1901

Рамка с фотографией императрицы Александры Федоровны
Москва. 1901 г.

147

186

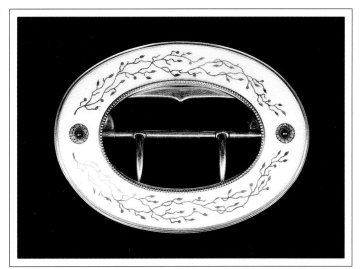

Buckle
Beginning of the XX c.
I. Britzyn

Пряжка
Начало XX в.
И. Брицын

115

Cigarette-case
Petersburg, 1906
Firm of C. Fabergé

Портсигар
Петербург. 1906 г.
Фирма К. Фаберже

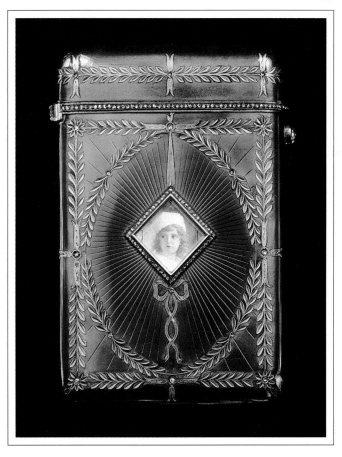

Frame
Moscow, 1908
Firm of C. Fabergé

Рамка с фотографиями
Москва. 1908 г.
Фирма К. Фаберже

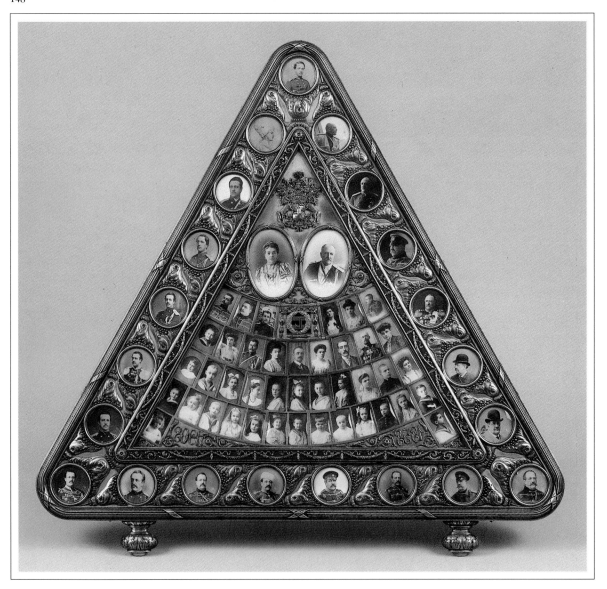

Hippopotamus
Petersburg, 1900
Firm of C. Fabergé

Фигурка бегемота
Петербург. 1900 г.
Фирма К. Фаберже

152

Pig
Petersburg, beginning of the XX c.
Firm of C. Fabergé

Фигурка поросенка
Петербург. Начало XX в.
Фирма К. Фаберже

156

Dachshund
Petersburg, beginning of the XX c.
Firm of C. Fabergé

Фигурка собаки таксы
Петербург. Начало XX в.
Фирма К. Фаберже

158

Medallion
Petersburg, 1787–1808
S. Arndt

Медальон
Петербург. 1845–1864 годы.
С. Арнд

175

Snuff-box
1903
I. Britzyn

Табакерка
Петербург. 1903 г.
И. Брицын

192

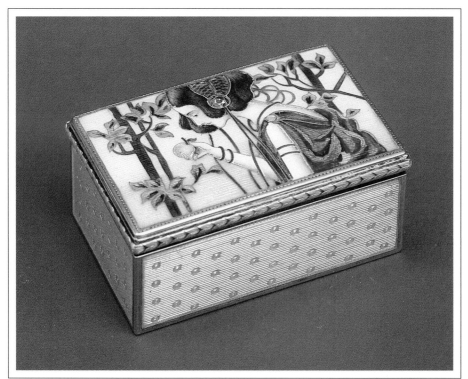

Scent-bottle
Petersburg, beginning of the XX c.
Marks: Firm of C. Fabergé

Флакон
Петербург. Начало XX в.
Фирма К. Фаберже

159

Table clock
1908–1917
I. B. Britzyn

Часы
Петербург. 1908–1917 годы.
И. Брицын

194

Kovsh
Petersburg, before 1899
A. Tillander

Ковш
Петербург. До 1899 г.
Фирма А. Тилландер

210

211

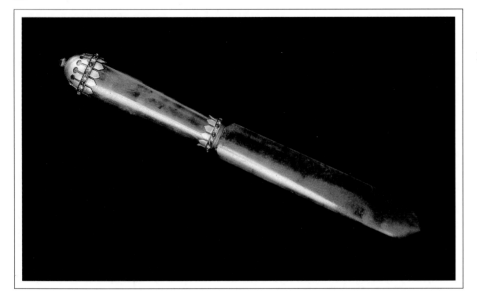

Paper-knife
Petersburg, before 1899
A. Tillander

Нож для разрезания бумаги
Петербург. До 1899 г.
Фирма А. Тилландер

Table clock
Petersburg, 1908–1917

Часы настольные
Петербург. 1908–1917 годы.
Третья артель

214

Insect
Finland, 1988
B. Gardberg

Насекомое
Хельсинки. 1988 г.
Б. Гардберг

Heron
Leningrad. 1984
Master P. B. Potiehin

Цапля
Ленинград. 1984 г.
П. В. Потехин

Table decoration
Leningrad, 1988
T. Makievskaja

Настольное украшение
Ленинград, 1988 г.
Т. Макиевская

228

The list of persons liable to military service from the number of the employees of the gold and silver jewelry objects factory of the court jeweler C. Fabergé.

Name	Social strata	Profession	The year of joining the company	The year of call up for active military service
Krilov Petr Nikitich	a peasant from the village Grigorijevka of the Iljinskij area of the Tverskaya region of the Tverskaya province	a turner	1915	1914
Skvortzov Ivan Dmitrievich	a peasant from the village Shephei of the Kalininskij area of the Litvinskaya region of the Tverskaya province	an assembler	1916	1913
Rackov Michael Dmitrievich	a hereditary nobleman	an artist sculptor of the Imperial gifts commissions factory	1915	1913
Pevsner Afroim Berka Labove	a middle class person from Belnichevskij circle of the Mogilevskaya province	an assembler	1915	1912
Smirnov Lavrentij Feodorovich	a peasant from the village Pridino of the Mironovskij area of the Chukhlomskij region of the Kostromskaya province	a turner carver	1914	1911
Danilov Feodor Semjenovich	a peasant from the village Nigoditzy of the Begunitskij area of the Peterhoffskij region of the Petrogradskaya province	a fixer	1915	1910
Freitag Sigismund Iosifovich	a nobleman from the city of Blagiki of the Kalininskij region of the Kalininskaya province	a manager of the stone carvings department of the Imperial gifts commissions factory	1915	1904
Gumovskij Anton Osipovich	a peasant from the village Novicko of the Svintzenskij area of the Davgolishskij region of the Villenskaya province	a polisher	1902	1901
Pugolovko Vladimir Pantelemonovich	a middle class person from the city of Kharkov	a senior manager in a shop of the Imperial gifts commissions factory	1903	1901
Semenov Nicholai Pavlovich	a workmaster from Petrograd	an assembler	1916	1899
Plotnitzkij Andrej Pankratijevich	a middle class person from the White Church area of the Vasilkovskij region of the Kievskaya province	an assembler	1911	1899
Gaase Gotlib Theodorovich	a middle class person from Petrograd	a jeweler-technique master of the Imperial gifts commissions factory	1916	1898
Andreev Vladimir Michailovich	a hereditary Honorary Citizen	a turner carver (an apprentice)	1914	1898
Gavrilov Alexander Michailovich	a peasant from the village Bobrishcho of the Nickurinskij area of the Vishnevolotskoj region of the Tverskaya province	an assembler	1916	1897
Mekhov Vasilij Antonovich	a middle class person from the city of Kronstadt	a gilding master	1916	1897
Subbotin Andrej Alekseijevich	a workmaster from Petrograd	a jeweler	1907	1897
Michailov Pavel Nicholaievich	a nobleman from the city of Poshehonje	an assembler	1901	1896
Kondratijev Petr Andreevich	a workmaster from Petrograd	an engraver	1902	1895

Kazak Alexander Konstantinovich	a workmaster from Petrograd	a manager of the Imperial gifts commissions factory	1892	1895
Andreev Grigorij Jakovlevich	a workmaster from Petrograd	an assembler	1904	1894
Apashchikov Vasilij Nicholaievich	a middle class person from the city of Vologda of the Novgorodskaya province	an engraver	1891	1894
Aristorhov Ivan Michailovich	a peasant from the village Tovarkovo of the Polotnjano-Zavodskij area of the Medginskij region of the Kaluzskaya province	a turner carver	1915	1891
Antoni Ivan Michailovich	a hereditary Honorary Citizen	a superviser of the Imperial gifts commissions factory	1898	1896

Besides the names mentioned above there are four names without full information:

Name	The year of the call up for active military service
N. M. Dementijev	1905
I. S. Leonov	1899
A. K. Iosep	1910
T. I. Ivanov	1906

Fund 472 CSHA USSR (The Central State Historical Archive)
book № 66   the correspondence with the Court Jeweller C. Fabergé
unite 120   on the subject of the postponement of the call up for his employees for active military service
began on the 17-th of September 1915
finished on the 20-th of February 1917

V. V. Skurlov
All-Union Scientific
Research Institute
of Jewelry trade
and industry
"Russkiye Samotsvety"

Сведения о мастерах фирмы по архивным документам об отсрочке призыва в армию в 1915–1917 годах.

Ф.И.О.	Звание	Должность	С какого времени служит в предприятии	Категория
Крылов Петр Никитич	крестьянин, Тверской губернии, Тверского уезда, Ильинской волости, деревни Григорьевки	токарь	1915 г.	1914 г. призыва
Скворцов Иван Дмитриевич	крестьянин, Тверской губернии, Литвинской волости, Кашинского уезда, деревни Шепней	монтировщик	1916 г.	1913 г.
Раков Михаил Дмитриевич	потомственный дворянин	художник-скульптор при фабрике по части Высочайших заказов на подарочные вещи	1915 г.	1913 г.
Певзнер Афроим Берка Лейбов	мещанин, Могилевской губернии, Белыничевского общества	монтировщик	1915 г.	1912 г.
Смирнов Лаврентий Федорович	крестьянин, Костромской губернии, Чухломского уезда, Мироновской волости, деревни Придино	токарь-резчик	1914 г.	1911 г.
Данилов Федор Семенович	крестьянин, Петроградской губернии, Петергофского уезда, Бегунитской волости, деревни Нигодицы	закрепщик	1915 г.	1910 г.
Фрейтаг Сигизмунд Иосифович	дворянин, Калишской губернии и уезда, город Блашки	Управляющий работами фабрики скульптуры по камню по части высочайших заказов на подарочные вещи	1915 г.	1904 г.
Гумовский Антон Осипович	крестьянин, Виленской губернии Давголинской волости Свинцянского уезда, деревня Новико	шлифовщик	1902 г.	1901 г.
Пуголовко Владимир Пантелеймонович	харьковский мещанин	старший приказчик при магазине по части Высочайших заказов на подарочные вещи	1903 г.	1901 г.
Семенов Николай Павлович	петроградский цеховой	монтировщик	1916 г.	1899 г.
Плотницкий Андрей Панкратьевич	мещанин, местечка Белая Церковь Киевской губернии Васильковского уезда	монтировщик	1911 г.	1899 г.
Гаазе Готлиб Теодорович	петроградский мещанин	ювелир-техник при фабрике по части Высочайших заказов на подарочные изделия	1916 г.	1898 г.
Андреев Владимир Михайлович	потомственный почетный гражданин	резчик-токарь, ученик	1914 г.	1898 г.
Гаврилов Александр Михайлович	крестьянин, Тверской губернии, Вышневолоцкого уезда, деревня Бобрищо, Никуринской волости	монтировщик	1916 г.	1898 г.
Ляхов Василий Антонович	мещанин города Кронштадта	позолотчик	1916 г.	1897 г.
Субботин Андрей Алексеевич	петроградский ремесленник	ювелир	1907 г.	1897 г.
Михайлов Павел Николаевич	мещанин города Пошехонье	монтировщик	1902 г.	1895 г.
Кондратьев Петр Андреевич	цеховой города Петрограда	гравер	1902 г.	1895 г.

Казак Александр Константинович	петроградский ремесленник	управляющий работами фабрики по части Высочайших заказов на подарочные вещи	1892 г.	1895 г.
Андреев Григорий Яковлевич	цеховой города Петрограда	монтировщик	1904 г.	1894 г.
Апащиков Василий Николаевич	мещанин города Валдая, Новгородской губернии	гравер	1891 г.	1894 г.
Аристархов Иван Михайлович	крестьянин, Калужской губернии, Медынского уезда Полотняно-Заводской волости, села Товаркова	токарь-резчик	1915 г.	1891 г.
Антони Иван Михайлович	потомственный почетный гражданин	Заведывающей исполнением Высочайших заказов на подарочные вещи	1898 г.	1896 г.

Кроме того упоминаются четыре фамилии, без расшифровки:
1. Н. М. Дементьев, призыва 1905 г.
2. И. С. Леонов, призыва 1899 г.
3. А. К. Иозеп, призыва 1910 г.
4. Т. И. Иванов, призыва 1906 г.

ЦГИА СССР (фонд 472, опись 66, д. 120).
Публикация Скурлова В. В.

Fabergé's workmasters and their marks
Клейма ведущих мастеров фирмы Фаберже

Михаил Перхин	М. П.	Mihail Perchin
Август Хольмстрем	А. Н.	August Holmström
Хискиас Пендин	Н. Р.	Hiskias Pendin
Юлий Раппопорт	I. P.	Julius Rappoport
Эрик Коллин	E. K.	Erik Kollin
Виктор Аарне	B. A.	Viktor Aarne
Ялмар Армфельт	Я. А.	Hjalmar Armfelt
Владимир Соловьев	B. C.	Vladimir Soloviev
Федор Афанасьев	Ф. А.	Fedor Afanassiev
Август Холлминг	A★H	August Hollming
Генрик Вигстрем	H. W.	Henrik Wigström
Альберт Хольмстрем	A. H.	Albert Holmström
Андерс Невалайнен	A. N.	Anders Nevalainen
Габриэль Нюкканен	G. N.	Gabriel Niukkanen
Андерс Михельсон	A. M.	Anders Mickelsson
Андрей Горянов	А. Г.	Andrej Gorianov
Альфред Тилеман	A. T.	Alfred Thieleman
Федор Рюкерт	Ф. Р.	Fedor Rückert
Оскар Пиль	O. P.	Oscar Pihl
Стефан Вякева	S. W.	Stefan Wäkevä
Александр Вякева	A. W.	Alexander Wäkevä
Эдвард Шрамм	E. S.	Edward Schramm
Густав Лундель	Г. Л.	Gustaf Lundell
Теодор Ринге	T. R.	Theodor Ringe
Вильгельм Раймер	W. R.	Wilhelm Reimer

The Fabergé craftsmasters

Johan Viktor Aarne (1863–1934)
1. Vase with pea-garlands
Petersburg, 1890s
Doulton china (England), silver,
casting, chasing
Height 52
Marks: Фаберже В.А.,
Petersburg assay office
N 749-VII
Pavlovsky Palace

2. Vase
Petersburg, 1900
Rörstrand china (Sweden),
silver, casting, chasing
Height 14.5
Marks: Фаберже В.А.,
Petersburg assay office
N 4679-1
Pavlovsky Palace

3. Vase
1899–1903
Petersburg
Marks: „Фаберже,“ B.A.4, 88,
assay mark of Я.Л. (Ljapunov)
Glass, silver, gilt
Height 8.2
N 622
State Museum in Petrodvorets

4. Bell-push
Petersburg, beginning of the
XX c.
Marks: Фаберже, Petersburg
assay office 1908–1917, B.A.
88 – silver standard
Silver, gilt, sapphire
3.8×3.8×3.8
From the Museum of
Ethnography in 1941
N 4921
The Hermitage, Leningrad

5. Bell-push
Petersburg, beginning of the
XX c.
Marks: Фаберже, „B.A.“
Petersburg assay office 1899–
1907, 91 – silver standard
Silver, gold, moon stone, enamel
6.5×4.5×4.5
N 9266
The Hermitage, Leningrad

6. Miniature frame
Petersburg, approximately 1900
Marks:
Gold, enamel, lime green,
rubies, rose cut diamonds, pearls
5.0×3.7
Privately owned, Sweden

7. Table thermometer
Petersburg, 1900
Milk glass, ivory, silver, enamel,
casting, chasing, engraving
Height 21

Marks: Фаберже, В.А.,
№ 56426
N 763-VII
Pavlovsky Palace

8. Table clock
Petersburg, beginning of the
XXth c.
Firm of C. Fabergé, craftsmaster
V. Aarne
Marks: "Fabergé", "BA" of
Petersburg Assay Dpt, standard
"84"
Gold, silver, pearls, gilt,
guilloché enamel
Clock mechanism manufactured
by G. Moser
Received from Hotel "Astoria"
in 1985

I. F. Andreyev
9. Cigarette-case
Moscow, 1887
Marks: „К. Фаберже", 84, JFA
A.P.
1887
Silver, enamel
2.4×12.8×6.9
From a State office in 1971
N 102157/32/OK 17703
History Museum, Moscow

**Karl Gustaf Hjalmar Armfelt
(1873–1959)**
10. Jug
Petersburg, 1912
Marks: Фаберже, Я.А.
Petersburg assay office 1908–
1917
Silver, wood, enamel
Shako – 18.7×27.7×22.2
Plume – 30.0–11.0–11.0
Support – 18.0×34.0×29.5
From the Museum of
Ethnography in 1941
The Hermitage, Leningrad

**11. Frame with a portrait of the
heir Aleksey**
About 1907–08
Petersburg
Marks: Я.А. twice, Фаберже,
88, assay mark of
A. V. Romanov
Silver, gilt, glass, transparent
enamel
N 1919
State Museum in Petrodvorets

12. Frame
Beginning of the XX c.
Petersburg
Marks: Я.А., Фаберже, assay
mark of Petersburg
Silver, colour gilt, glass, rose
22.2×15.7

N 314
State Museum in Petrodvorets

13. Dressing set of six articles
Petersburg, 1908–1917
Firm of C. Fabergé; craftsmaster
Hj. Armfelt
Marks: "Fabergé", "JA" of
Petersburg Assay
Dpt.; standard 88
Silver, cut glass, metal, bristle
Jarlet – 8.0×7.5
Tray – 6×9×13
Brush (large) – 22×7.5×2.5
Brush (small) – 17×5.5×2.5
shoe-horn – 26×4
she-hook – 23.5×1.5
Bought in 1988
Inventory N КП-1727, 1728,
1729, 1730, 1731, 1732

Fedor Afanassiev
14. Ink-stand
Petersburg, beginning of the
XX c.
Marks: Фаберже. – А.Ф., "84" –
silver standard
Petersburg assay office 1899–
1907
Gold, silver, nephrite, ruby,
enamel
7.7×6.3×6.5
N 9498
The Hermitage, Leningrad

Henrik Wigström (1862–1923)
15. Turkey
Petersburg, after 1908
Marks: „Фаберже" "H.W.",
Petersburg
Various minerals, purpurine,
gold
Privately owned, Finland

16. Box for keeping beauty-spots
1908–1917
Petersburg
Marks: H.W. – three times, 88,
56, Petersburg assay mark
Silver, gilt, gold, transparent
enamel
Height: 1.0
N 317 From a finance
department in 1980
State Museum in Petrodvorets

17. Seal
1898–1899
Petersburg
Marks: Petersburg, "H.W."
56 standard, assay master
A. Richter
(1898–1899)
Cornelian, nephrite, gold,
chasing
Height 8.3, diameter 2.8
From the State Russian Museum
in 1951
N 17148
The Hermitage, Leningrad

18. Buckle
1908–1917
Petersburg
Marks: Фаберже, H.W., 88,
profile and assay mark of
A. V. Romanov
Silver, gold, rubies, transparent
enamel
6.4×7
N 660. Bought in 1987
State Museum in Petrodvorets

19. Soldier
Petersburg, 1905–1908
Jasper, marble, silver, gold
17.7×11.2×3.4
Marks: Фаберже, H.W.
N 824-VII
Pavlovsky Palace

**20. Elephant-shaped small
drinking vessel**
Petersburg, beginning of the
XXth c.
Firm of C. Fabergé (craftsmaster
H. Wigström)
Marks: "Fabergé", "HW",
standard 88, Petersburg
Assay Dpt., 1899–1908
Silver, gilt, almandine; casting
4.1×4.7×5.3
The vessel has the inscription:
$\frac{10\ 11}{XI}$ 04
Received in 1966
The Hermitage, Leningrad

21. Table clock
Petersburg, beginning of the
XX c.
Marks: Фаберже, H.W.
Petersburg assay office 1908–
1917, 88 – silver standard
Silver, steel, ivory, enamel
10.5×10.5×2.0
N 9334
The Hermitage, Leningrad

22. Clock
Petersburg
1903–1908
Marks: Фаберже, H.W., 91
standard
Petersburg assay office, assay
inspector A.P.
12.7×7.8×2
N 8992 CB 246
Museum of Decorative and
Applied Arts, Moscow

23. Table clock
1903–1908
Petersburg
Marks: H.W., assay mark of
A. Richter
Silver, colour gilt, gold,
transparent enamel, chasing
Height: 20
N 334. Bought in 1981
State Museum in Petrodvorets

**24. Sketches of mirror mount
decor**
H. Wigström

5.5×4.5; 9.5×5.0
Private collection, Leningrad

Stefan Wäkevä
25. Coffee-pot
Petersburg
Before 1903
Marks: Фаберже, S.W.
Petersburg coat of arms,
84 standard
Silver, bone, gilt, casting,
punching
22×21.9×12
N 6928 МД 358 СВ 107
Museum of Decorative and
Applied Arts, Moscow

26. Cream-jug
S. Wäkevä
Mark: "SW", standard 84
Silver, pressing, embossing
B.10
EODM, Leningrad

Andrej Gorianov
27. Frame
1908–1917
Petersburg
Marks: А.Г., Petersburg assay
mark, undeciphered mark
Silver, chasing, transparent
enamel, glass
Diameter 6.6
N 332. Bought in 1980
State Museum in Petrodvorets

Nicholas Zverev
28. Cigarette-case
1908–1917
Moscow
Marks: Фаберже, НЗ, 84
1.4×9.7×8.1
Silver, enamel
From a State office in 1971
N 102157/34/OK 17704
History Museum, Moscow

Erik August Kollin (1836–1901)
29. Bowl
Petersburg, 1880s
Firm of C. Fabergé, craftsmaster
E. Kollin
Marks: "Fabergé", "EK",
Petersburg coat of arms,
standard 84
Agate, silver, almandine,
casting, engraving, gilding,
blacking, carving
6×11.7×6.1
Bought in 1984
Inventory N Э-17797
The Hermitage, Leningrad

Anders Nevalainen (1858–1933)
30. Table lighter
1/2/1910
Marks: A N (Anders
Nevalainen), 88, Right facing
Kokoshnik, inventory number:
16936
Gilded silver, royal blue enamel

Bowenite base.
Neo-classical design. With the
original case
Marks: A N (Anders
Nevalainen), 88, Right facing
Kokoshnik, inventory number:
16936
Height: 14.0 cm
The lighter bears the Danish
inscription:
"From the Empress Maria
Feodorovna, 1/2/1910,
C. H. Rordamn"
A la Vieille Russie, New York

31. Kovsh
Petersburg, beginning of the
XX c.
Marks: Фаберже, AN,
Petersburg assay office
1899–1903, 88 – silver standard
Silver, gilt, enamel, nephrite
7.8×16.0×8.6
N 8917
The Hermitage, Leningrad

32. Handbell
Petersburg, ca 1903
Firm of C. Fabergé, craftsmaster
A. Nevalainen
Marks: "Fabergé", "AN",
standard 88
Silver, gilt, casting, engraving
5.5×8.0
Handle is in the shape of laurel
wreath with figures "XXV"
Privacy of the former principal of
the Hermitage, Count
D. I. Tolstoy
Received from L. I. Tolstoy in
1987
Inventory N КП-1438

33. Tankard
Petersburg, beginning of the
XX c.
Marks: Фаберже, AN, 88 silver
standard,
Petersburg assay office
1899–1903
Silver, gilt
10.5×7.0×7.0
N 7698
The Hermitage, Leningrad

34. Writing-pad folder
Petersburg, beginning of the
XX c.
Marks: Фаберже, AN, 88 –
silver standard
Mahogany, silver, gilt
2.8×16.8×14.4
From the State Fund in 1987
N 9502
The Hermitage, Leningrad

35. Frame
1899–1903
Petersburg
Marks: Фаберже, 88, profile and
assay mark of Ya. Ljapunov;
A.N. – twice
Silver, chasing, transparent

enamel, metal
20.9×14.9
Bought in 1987
N 664
State Museum in Petrodvorets

36. Frame
Last quarter of the XIX c.
Petersburg
Marks: A.N., 88, Petersburg
coat of arms
Silver, chasing, leather, glass
Diameter: 9.1
Bought in 1987
N 651
State Museum in Petrodvorets

37. Frame
1908
Petersburg
Marks: A.N., assay mark of
A. V. Romanov
Silver, ceramics, gilt, pear-wood
Diameter: 15.5
From the Cottage in Petergof
N 192
State Museum in Petrodvorets

38. Frame
Petersburg, the last quarter of
the XXth c.
Firm of Fabergé, craftsmaster
A. Nevalainen
Marks: "Fabergé", "AN",
Petersburg coat of arms,
standard 88
Silver, glass, guilloché enamel
87×68
Received from a private
collection in 1987
Inventory N 1542

39. Cup 1899–1903
Petersburg
Marks: К. Фаберже, A N, assay
mark of Ya. Ljapunov
Silver, gilt, transparent enamel
Height: 3.7
From a finance department in
1981
N 335
State Museum in Petrodvorets

40. Ink-stand
Petersburg, beginning of the
XX c.
Marks: Фаберже, A.N., 88 –
silver standard
Silver, wood
12.2×13.5×17.8
From the State Fund in 1987
N 9501
The Hermitage, Leningrad

Mihail Evlampievitch Perchin
41. Agate bowl
Petersburg
1890–1900
Marks: Petersburg, Фаберже,
М.П.
56 standard
1.6×7.2×7.7
Agate, gold, enamel, chasing,

engraving
N Э-17150
The Hermitage, Leningrad

**42. Dish with the Petersburg coat-
of-arms**
1896
Petersburg
Marks: Petersburg, Фаберже,
М.П., 88 standard
Silver, diamonds, rock crystal,
enamel; casting, chasing,
engraving, gilt, polishing
Oval 39.0×33.0
From the Diamond Store-room
of the Winter Palace in 1922
N 6388
The Hermitage, Leningrad

43. Brooch-buckle
Petersburg
Beginning of the XX c.
Marks: Petersburg, М.П.,
56 standard
Gold, pearls, enamel; casting,
chasing
Length – 7.2, width 3.5
N Э-17175
The Hermitage, Leningrad

44. Box in the shape of a table
1900s
Petersburg
Marks: Petersburg, Фаберже,
М.П.,
56 standard
Agate, gold; chasing, engraving,
carving
7.5×4.9×7.0
Bought in 1958
N 15603
The Hermitage, Leningrad

45. Electric bell
1900s
Petersburg
Marks: Petersburg, Фаберже,
М.П.,
88 standard
Silver, enamel, moon stone,
copper
alloys, silk, gilt, chasing
Height 3.8, diameter 5.0
From the Winter Palace in 1922
N 13496
The Hermitage, Leningrad

46. Bell-push
St. Petersburg
Marks: Fabergé in cyrillic, М П
(Mihail Perchin), 56, crossed
anchors (St. Petersburg),
inventory number: 52182
Bowenite, with eight-pointed
star on top in red enamel and
gold set with moonstones. By
Fabergé
Height: 6.35 cm, diameter
5.7 cm
A la Vieille Russie, New York

47. Table compass
Petersburg, before 1903

Marks: „Фаберже" „М.П."
inventory number 4365
Nephrite, multicoloured gold,
garnets
Diameter 5.8; height 3.7
Private collection, Finland

48. Compass
End of the XIX c.
Petersburg
Marks: Petersburg, Фаберже
М.П., 56 standard
Two-colored gold, diamonds,
enamel steel, casting, chasing,
engraving
Height 3.8; diameter 3.9
N 17145
The Hermitage, Leningrad

49. Box in the shape of a fan
End of the XIX c.
Petersburg
Marks: Petersburg, Фаберже,
М.П., 72 standard
Gold, enamel, rock crystal
Height 1.2, length 7.5, width 4.1
From the State Museum in 1951
N 15729
The Hermitage, Leningrad

50. Box in the shape of a shell
End of the XIX c.
Petersburg
Marks: Petersburg, Фаберже,
master М.П., 56 standard
Nephrite, gold, rubies, roses,
carving, chasing
3.1×6.1×6.3
N 17151
The Hermitage, Leningrad

51. Small box
Petersburg, 1890s
Firm of C. Fabergé
Marks: "Fabergé", "MP",
Petersburg coat of arms,
standard 72
Gold, agate; engraving, polishing
4.2×2.9
Received from the collection of
Musin-Pushkin in 1925
The Hermitage, Leningrad

52. Small box
Petersburg
Firm of C. Fabergé
Marks: "Fabergé", "MP",
Petersburg coat of arms,
standard 56, N 47449
Gold, enamel, diamonds, rubies,
sapphire, polishing
2.8×2.3×2.2
Privacy of the former Grand
Duke Aleksey Alexandrovich;
received in 1908
The Hermitage, Leningrad

53. Cross
Petersburg
Marks: Фаберже, М.П.
Petersburg, 56 standard gold
Gold, glass, photography,
enamel, polishing, engraving
4.6×2.1

From the Palace-Museum in
Pushkin in 1935
N 15595
The Hermitage, Leningrad

54. Seal
1880–1890s
Petersburg
Marks: Petersburg 1880–1890s,
М.П., 56 standard
nephrite, sapphire, gold, enamel,
chasing, engraving
Height 8.3; diameter 2.5
From the State Museum Fund in
1951
N 17147
The Hermitage, Leningrad

55. Frame with the portrait of a boy
1899–1900
Petersburg
Marks: Petersburg, Фаберже,
М.П., 56 standard
Inscriptions: Th.Zashe 99,
Charles Goluchowski 1899
Two-coloured gold, silver,
pearls, ivory enamel, chasing,
engraving, gouache
9.5×7.9
From the State Museum Fund in
1951
N 16958
The Hermitage, Leningrad

56. Frame with the portrait of the Grand Duchess Anastasya
Before 1903
Petersburg
Marks: МП, Petersburg assay
mark
Rosewood, silver, gilt
14.7×12.4
From the dacha of Nicholas II in
Petergof
N 198
State Museum in Petrodvorets

57. Frame
Petersburg, 1898
Marks: Фаберже, МП, city-
mark of St. Petersburg
88 – silver standard
Silver, gold, enamel, gilt
14.3×7.0
From the Museum of
Ethnography in 1941
N 6761
The Hermitage, Leningrad

58. Cup in the shape of an elephant
Petersburg, beginning of the
XX c.
Marks: Фаберже, М.П., 88 –
silver standard
Petersburg assay office 1899–
1903
Silver, gilt, almandines
4.1×4.7×5.3
N 8964
The Hermitage, Leningrad

59. Suspended thermometer
Petersburg 1900
Milk glass, silver-gilt, enamel,
engraving, casting, chasing
Height 18.7
Marks: Фаберже, М.П., 88
silver standard
N 734-VII
Pavlovsky Palace

60. Bottle
Petersburg
End of the XIX c.
Marks: Фаберже, МП,
Petersburg coat of arms
Gold, bronze, onyx, garnets, gilt
8.1×3.6×3.6
From a finance department in
1981
N 515-VI
State Museum in Pushkin

61. Table clock
1896–1903
Petersburg
Marks: МП, Petersburg coat of
arms three times
Jasper, silver, chasing
Height: 17.5
From the Museum of Socialist
Revolution in 1974
N 501
State Museum in Petrodvorets

62. Box
Petersburg
Marks: Фаберже, М.П.,
Petersburgh coat of arms,
84 standard
Silver, wood, jasper, velvet, gilt
5.6×9.5×6.7
N 9697 Mg 542 CB 249
Museum of Decorative and
Applied Arts, Moscow

63. Box "Tortoise"
Petersburg
1899–1903
Marks: Фаберже, МП,
56 standard
Petersburg assay office, assay
inspector Я.Л.
Gold, diamonds, nephrites
6.6×10×14.2
N 10730
Museum of Decorative and
Applied Arts, Moscow

Julius Alexandrovitch Rappoport (1850–1916)[1]
64. Vase
Petersburg, 1890s
Glass, silver, casting, chasing,
carving
9.8×14.3
Marks: Фаберже, I.P.
N 9980-I
Pavlovsky Palace

1. Isaac Abramovitch Rappoport (or Julius
Alexandrovitch Rappoport) was born in
1850, in the small town of Dantov of the
Kovenskaya province, died in 1916 in
Petersburg. In 1880 he got an apprentice

degree in St. Petersburg trade (town)
council, and in 1884 he took a degree of a
craftsman. A merchant belonging to the
second guild.
Adding these data to the information about
Rappoport the author of the article.
V. V. Scurlov, confirms the spelling of the
craftsman's marks: "I.P." and "I.R.".

65. Vase for flowers
End of the XIX c.
Petersburg
Marks: Petersburg, Фаберже,
I.P., 88 standard
Smoky quartz, silver, casting,
chasing, gilt, carving
Height 37.0
From the Winter Palace in 1931
N 17576
The Hermitage, Leningrad

66. Flacon
Petersburg, end of the XIX c.
Marks: I.P. – masters, 88 – silver
standard, Petersburg assay office
Silver, gilt
23.2×15.6×2.5
From the Museum of
Ethnography in 1941
The Hermitage, Leningrad

67. Kovsh
Petersburg
Marks: Фаберже, IP, 88
standard
Silver, gilt, casting, punching,
chasing, engraving
25.0×10.2×12.0
From the professor Pesotsky's
collection in 1988
N 1661
Palace-Museum on the Yelagin
Island

68. Cup in the case
1898
Petersburg
Marks: Фаберже, Russian coat
of arms, IP twice, 38, and assay
mark of Ya. Ljapunov. On the
case: Russian coat of arms,
Фаберже, St. Petersburg,
Moscow; on the brass plate:
Nevski yacht-club Emperor's
prize sailing race june 22, 1898 in
Petergof Yacht "Perkun"
Silver, gilt, chasing, engraving
Height of the cup 39.7
Height of the case 19.8
From the citizen of Finland
Sobolev in 1987
N 656, 656/1
State Museum in Petrodvorets

69. Night-Lamp
Petersburg, 1900
Onyx, silver, amethyst, silk,
casting, chasing
Height – 26
Marks: Фаберже, 88 standard
silver, I.P.; on the shade –
Prussian mark of the end of the
XIX – beginning of the XX
century

N ЦХ-714-VII
Pavlovsky Palace

70. Lamp in the shape of an amphora
Petersburg, 1890s
Onyx, silver, silk, casting, chasing
Height – 27.5
Marks: Фаберже, I.P.
Petersburg assay office
N 715-VII
Pavlovsky Palace

71. Brushes and chalk holders for a card-set
Consists of 4 chalk supports and 4 brushes
Petersburg, end of the XIX c.
Marks: Фаберже, I.P. – masters, Petersburg assay office 1899–1907
Silver, rhodonite
Chalks – 8.4×1.4×1.4
Brushes – 3.3×5.3×5.3
Box – 5.4×26.7×15.6
N 8864-8871
The Hermitage, Leningrad

72. Glass-case
Petersburg, 1900
Glass, silver, casting, chasing
32×19.5×14.9
Marks: Фаберже, I.P., 88 st. silver
N 9995-1
Pavlovsky Palace

73. Ash-tray
Petersburg, beginning of the XX c.
Marks: Фаберже, I.P., 88 – silver standard, Petersburg assay office
1899–1907
Silver, gilt
8.2×10.3×6.5
N 8962
The Hermitage, Leningrad

74. Tray
Marks: „Фаберже", IP, 88 standard
Silver, punching, engraving
Diameter 19.5
From the Astoria hotel in 1985
N 1923
Palace-Museum on the Yelagin Island, Leningrad

75. Glass for pencils
Marks: Фаберже, IP
Silver, smalt, casting, punching, engraving
From L. I. Tolstaya in 1987
Height 11.0
N 1812
Palace-Museum on the Yelagin Island

76. Ink-stand
Petersburg
Firm of C. Fabergé, craftsmaster J. Rappoport
Marks: "Fabergé", "I.P.",

standard 88
Rock crystal, almandine, silver; engraving
Received from the "Astoria" hotel in 1985
Palace-Museum on the Yelagin Island

Philip Theodor Ringe

77. Bottle
End of the XIX c.
Petersburg
Marks: TR, 56 and an undeciphered mark
Quartzite, nephrite, gold, diamond
Height: 6.5
Bought in 1984
N 530
State Museum in Petrodvorets

Fedor Rückert

78. Coffee-spoon
1908–1917
Moscow
Marks: K. Фаберже, Ф. Р., 84
Silver, gilt, enamel
Length: 10.8
From a state office in 1971
N 102157/96/OK 18252
The State Historical Museum, Moscow

Vladimir Soloviev

79. Bottle
1908–1917
Petersburg
Marks: 84, B.C.
Crystal, cutting, silver, gilt, transparent enamel, gold, amethyst
Height: 9.3
Bought in 1986
N 588
Pushkin town

August Fredrik Hollming (1854–1913)

80. Brooch
Petersburg
A. Hollming
Marks: Petersburg coat of arms, "A★H", standard 56
Gold, brilliant, cut diamonds; guilloché enamel
3.0×1.3
Private collection, Leningrad

August Wilhelm Holmström (1829–1903)

81. Pin in the shape of a snake's head Petersburg
About 1860
Marks: Petersburg "A.H."
Gold, enamel, diamonds
8.7×2.3
From the Altenburgskys' collection in 1924
N 10830
The Hermitage, Leningrad

82. Stork
Firm of C. Fabergé
Gold, silver, rubies, nephrite, gilt, engraving
From M. Kamidian Collection, Paris, France

83. Bratina
Moscow, ca 1900
Marks: Фаберже assay master И.Л., 88, N 19506
Silver, gilt, enamel, chasing, engraving
10×10
M. Kamidian, Paris. France

84. Brooch-pendant
1899–1908
Moscow (?)
Marks: "К.Ф.", Moscow Assay Office 1899–1908
Gold, silver, diamonds
Casting, enamel, carving
N MP-11322/1–2
Moscow Kremlin Museum

85. Brooch pendant "Sweetbrier Flower"
Petersburg. End of the XIX c.
Marks: N 545171
Gold, enamel, diamond, casting, engraving
Length: 3.6
M. Kamidian, Paris. France

86. Bowl decorated with frogs
Moscow, beginning of the XX c.
Doulton china, silver, casting, chasing
20×21
Marks: Фаберже, N 7874, 88 st. silver
N 6155-1
Pavlovsky Palace

87. Vase in its case
1908–1917
Moscow
Marks: on the support – Russian coat of arms, К. Фаберже, 88, Moscow assay mark; on the case: Russian coat of arms, К. Фаберже, St. Petersburg, Moscow, Odessa, London
Crystal, cutting, silver, gilt, chasing
Vase: height – 20.4
Case: height – 23.5
N 672, 672/1
State Museum in Petrodvorets

88. Fruit-bowl
Moscow, the end of the XIXth c.
Firm of C. Fabergé
Marks: "Fabergé", standard 88 (twice) K.F.
Silver, glass, casting, engraving, carving, chasing, diamond cut
31.2×26.4
Inventory N 344/1,2.

89. Fruit-bowl
Moscow, beginning of the XXth c.

Firm of C. Fabergé
Marks: "Fabergé", standard 88
Silver, glass, casting, engraving, carving, diamond cut
42.2×25.1×19.1

90. Bowl
Firm of C. Fabergé
Marks: Фаберже, 84
Silver, crystal
Height – 13.0
Private collection, Leningrad

91. Vase-cooler
Moscow, beginning of the XX c.
Marks: Фаберже, Moscow assay office 1908–1917
Silver, gilt
43.5×29.5×20.0
From the Museum of Ethnography in 1941
The Hermitage, Leningrad

92–93. Glasses
End of the XIX c.
Moscow
Marks: К. Фаберже, Moscow assay mark
Silver, gilt, chasing
Height: 9.5 and 9.7
Bought in 1987
N 661, 662
State Museum in Petrodvorets

94–95. Decanters
Beginning of the XX c.
Moscow
Marks: К. Фаберже, Russian coat of arms – twice, assay mark of I. S. Lebiodkin
Crystal, cutting, silver, gilt, chasing
Height: 25.5
Bought in 1981
N 638, 644
State Museum in Petrodvorets

96. Table bell
1913
Petersburg
Marks: Фаберже, 88
Silver, chasing, emerald
Height: 7.0
Bought in 1987
N 663
State Museum in Petrodvorets

97. Kovsh
Moscow, beginning of the XX c.
Marks: Фаберже, Moscow assay office 1908–1917
Silver, gilt
20×31.5×17.2
N 7752
The Hermitage, Leningrad

98. Kovsh
Marks: Eagle, K. Fabergé in cyrillic, 84, left facing Kokoshnik
Gilded silver, the handle in the form of an Imperial Eagle enamelled green; the rim is set with a variety of cabochon semi-precious stones

Length: 16.5 cm, diameter 21.0 cm
A la Vieille Russie, New York

99. Kovsh
1880ies
Moscow (?)
Marks: К. Фаберже under a double-headed eagle, 84 standard
Silver, quartz, amethyst, chalcedony, chasing, painted enamel, gilt
Height 37, width 28.5
N MP-11370
Moscow Kremlin Museum

100. Kovsh in the shape of a swan
Moscow
1902
Marks: "КФ", "УФ" 1902
Ceramics, silver, cornelian, sapphire
38×31
From an antique-shop in 1985
N 2899
State Museum in Pushkin

101. Sweet-bowl
Moscow, 1895
Firm of C. Fabergé
Marks: "Fabergé", $\frac{AA}{1895}$,
Moscow coat of arms, standard 84
Silver; casting, chasing, gilding
13.5×10
Received from a private collection in 1985

102. Box
Beginning of the XX c.
Petersburg
Marks:
Nephrite, gold, roses, carving
2.8×7.2×5.1
From the State Museum Fund in 1951
N 17152
The Hermitage, Leningrad

103. Cup-bowl
Moscow, 1895
Firm of Fabergé (craftsmaster "A.A.")
Marks: "Fabergé", "A.A.", Moscow coat of arms, standard 84
Silver, crystal; casting, chasing, engraving
30.6×26
Inventory N MT340

104. Jug
Beginning of the XX c.
Moscow
Marks: К. Фаберже, Russian coat of arms, assay mark of I. S. Lebiodkin
Crystal, carving, silver, gilt, chasing
Height: 22.5
Bought in 1982
N 693

105. Wine decanter
1908–1917
Moscow
Marks:
Silver, crystal
Height 28.0
Gift of K. F. Mikheyeva, 1986
N 107041/I/OK 23189
The State History Museum, Moscow

106. Table Lamp
Petersburg
1908
Marks: Фаберже, 88 standard
Silver, rodonite
59×13×12
Bought in 1982
N 1430 mg 130 cB 70
Museum of Decorative and Applied Arts, Moscow

107. Small chest
Moscow, 1900
Wood, velvet, glass, silver, casting, chasing
21.5×15.5
Marks: Fabergé, 88 standard silver
N ЦХ-753-VII
Pavlovsky Palace

108. Tray
Petersburg
Marks: Фаберже, 88 standard, Petersburg assay office, assay inspector
Silver, onyx, casting
16.5×3.5×5
From the Polytechnical Museum in Moscow in 1988
N 17137
Museum of Decorative and Applied Arts

109. Milk jug
Beginning of the XXth c.
Marks: "Fabergé", standard 84
Silver, gilt, casting
9.7×12.8×9.5
Received from a private collection in 1987
Inventory N MT 417

110. Table decoration "Lizard nibbling a leaf"
Petersburg
1901
Marks: Petersburg, Фаберже, 84 standard
Inscription: 5 September Regelfest 1901
Silver, casting, chasing, engraving
Length 23.3, width 9.5
Bought in 1987
N 17851
The Hermitage, Leningrad

111. Letter-opener
Petersburg, beginning of the XX c.

No marks
Nephrite, gold, moon stone
34.0×2.5
From the Museum of Ethnography in 1941
N 6154
Hermitage

112. Letter-opener in fitted case
1915
Moscow
Marks: К. Фаберже, double-headed eagle, assay mark of I. S. Lebiodkin
On the case: Russian coat of arms, К. Фаберже, Петроград, Москва, Лондон
Silver, chasing
Knife 20.7
From the train of the tzar Nickolas II
N 64, 64/1
State Museum in Petrodvorets

113. Necklace with pendants in the shape of Easter eggs
Petersburg (?)
1900
Marks: Фаберже, Petersburg (?) 56 and 84 standard
Half-length 35.0
Gold, silver, glass, enamel, precious stones, casting, chasing, engraving, carving
Gift, 1961
N Э-17375
The Hermitage, Leningrad

114. Ash-tray in fitted case
1908–1917
Moscow
Marks: К. Фаберже, Russian coat of arms, 88, profile
On the case: Russian coat of arms, К. Фаберже, Moscow, St. Petersburg, Odessa
Silver, enamel
Ash-tray: diameter – 9.1
Case: height – 4.7
From the train of the tzar Nickolas II
N 27, 27/1
State Museum in Petrodvorets

115. Cigarette case
Petersburg
1906
Marks: „К.Ф." Petersburg Assay office, 72 standard
Gold, silver, roses enamel, carving
1.5×9.3×6.3
From Moscow jewellers' Association in 1927
N MP-657
Moscow Kremlin Museum

116. Parrot on a perch
1900s
Petersburg
Nephelite, onyx, quartz,

diamond, ivory; carving
Height 30.6
From the Shuvalovs' collection in 1925
N 12180
The Hermitage, Leningrad

117–146. Table silver (365 pieces) manufactured by the order of the "National" Hotel (Moscow)
Moscow, 1880s
The Firm of C. Fabergé
Marks: "Fabergé", standard 875
dessert spoons (2), sauce spoons (1), dispense spoons: for fish (2), for salad (1); table-spoons (2), spoons for garnish (1), ladle (1), caviar spoon (2), tea-spoons (2), coffee-spoons (2), table-fork (2), dessert fork (2), dispense fork for fish (1); serving-knife for fish; pie-server; dessert knives (2), asparagus servers (1), stands for individual covers (2).
Silver, gilt, casting, engraving

147. Frame
Moscow, 1901
Silver, wood, casting, chasing
17×8.5
Marks: Moscow assay office, 84 standard silver
N 1438-VII
Pavlovsky Palace

148. Frame
Moscow. 1908
Firm of C. Fabergé
Silver, gold, enamel, glass
Marks: „Фаберже", 84
64.0×67.5
The State Historical Museum, Moscow

149. Sugar basin
Moscow, 1898–1908
Firm of C. Fabergé
Marks: "Fabergé", hallmark of I. Liebedkin, standard 88
Silver, gilt, casting, chasing
9.7×18.0
Received from a private collection in 1987
Inventory N MT 1555

150. Walking-stick with the knob in the shape of the girl's head
1900s
Moscow
Marks: Фаберже, Moscow assay master I. S. Lebiodkin (1899–1908), 84 standard
Silver, metal, wood, casting, chasing, carving
Length 88.0
Bought in 1988
N 17882
The Hermitage, Leningrad

151. Toilet-set
1908–1917
Moscow

Marks: K. Фаберже,
84 standard
Silver, crystal, glass, bristle
Mirror: length – 26.2
Boxes: 7.3×7.2×7.2; 22×6.7
Brushes: length – 23.3; 15.5
From a State office in 1988
N 107481/OK 23275/1–5
The State History Museum,
Moscow

152. Hippopotamus
Petersburg, 1900
Firm of C. Fabergé
Obsidian
Privately owned, Finland

153. Pig
Petersburg, beginning of the
XX c.
Firm of C. Fabergé
4.8×2.5×3.0
Private collection, Leningrad

154. Rhinoceros
Early XXth century
Petersburg
K. Fabergé Firm
Obsidian, diamonds, carving
5.8 high by 2.5 wide by 3.0 long
Private collection, Leningrad

155. Pig
1900s
Petersburg
Chalcedony, roses, carving
3.0×4.7×2.1
Bought in 1984
N 17766
The Hermitage

156. Pig
Petersburg, beginning of the
XX c.
Marks: Fabergé. St. Petersburg,
Moscow
Belomorsky quarzit, rock crystal
2.8×4.8
From the Fabergé collection in
1920
N 486
The Hermitage, Leningrad

157. Pig
Petersburg, beginning of the
XX c.
Firm of C. Fabergé
5.8×2.5×3.0
Private collection, Leningrad

158. Dachshund
Petersburg. Beginning of the
XX c.
Agate, gold, rubies, carving,
engraving
4.8×8.5
M. Kamidian, Paris, France

159. Bottle
Petersburg. Beginning of the
XX c.
Gold, sapphire, diamond, ruby,
guilloché, enamel
Height: 7.9
M. Kamidian, Paris, France

**160. Kovsh in the shape of an
elephant's head**
Beginning of the XX c.
Petersburg
Obsidian, roses, carving
4.5×9.1×5.5
From
N 17154
The Hermitage

161. Punch bowl with a scoop
1916
Moscow
Marks: on the bowl and on the
scoop: K. Фаберже, and
Russian coat of arms, profile, 84
Silver, engraving, gilt, enamel,
painting, semi-precious stones
Height of the bowl: 33
Lenght of the scoop: 25.5
Bought in 1988
N 25274
State Museum in Petrodvorets

162. Punch bowl with ladle
Petersburg, 1905
Firm of C. Fabergé
Marks: "Fabergé", Petersburg
coat of arms, standard "84"
Silver, gilt, casting, chasing,
engraving, semi-precious stones
41.0×17.5
Length of ladle: 29.5
Inscription: "Prize in memory of
D. A. Engelgardt", 1905

163. Sketch of handle
K. Fabergé Firm
Paper, water-colour
10.0 high by 5.5 wide
Private collection, Leningrad

164. Sketch of handle
K. Fabergé Firm
Paper, water-colour, pencil
13.7 high by 9.5 wide
Private collection, Leningrad

165. Sketch of handle
K. Fabergé Firm
Paper, water-colour, pencil
13.2 high by 9.9 wide
Private collection, Leningrad

166. Vase
1899–1903
Petersburg
Marks: KB, 84, profile and assay
mark of Ya. Ljapunov
Ceramics, silver, chasing
Height: 16.5
N 613. From the dacha of
Nicholas II in Petergof
State Museum in Petersburg

167. Mirror
Moscow
1880–1890s
Marks: Фаберже, М.Д.,
84 standard
Silver, wood, glass
Height 58.0
From a state office in 1972
N 102443/32/OK 21167

The State Historical Museum,
Moscow

**168. Frame with a portrait of the
Grand Duchess Olga
Alexandrovna**
The 1900s
Petersburg
Marks: Petersburg assay mark,
A.C.
Silver, gilt, glass, transparent
enamel, chasing
Diameter: 10
N 190. From the dacha of
Nicholas II in Petergof
State Museum in Petrodvorets

169. Table bell
1908–1917
No marks
Silver, transparent enamel, onyx,
wood
Bought in 1987
N 610
State Museum in Petrodvorets

**170. Magnifying glass of
Nicholas II**
1898
Petersburg
No marks
Silver, chasing, transparent
enamel, stone, glass
Length: 16.2
From the train of the tzar
Nicholas II
N 65
State Museum in Petrodvorets

171. Signet
Petersburg (?), beginning of the
XX c.
Silver
Height 8.8
No marks
N 895-VII
Pavlovsky Palace

172. Cigarette case
Petersburg, ca. 1915
Wood, gold, steel, silk
10.5×7
M. Kamidian, Paris, France

The Fabergé contemporaries

A. K. Adler
173. Pencil case
1908–1912
Petersburg
Marks: A.A., profile, 56
Silver, gold, transparent enamel
Bought in 1988
N 24601
State Museum in Petrodvorets

Samuel Arndt
174. Cuff-links
Between 1845 and 1864
Petersburg
Marks: Petersburg
S.A., 56 standard
Gold, paste, polishing
Diameter 2.0
N 9420
The Hermitage, Leningrad

175. Medallion
Petersburg
1787–1808
Marks: Petersburg, S.A.,
56 standard gold
Gold, paste, carving
7.1×4.0
From the Grand Duke Sergey
Alexandrovich's collection in
1910
N 4945
The Hermitage, Leningrad

176. Seal
Petersburg
1845–1864

Marks: Petersburg, S.A.,
56 standard
Gold, sapphires, engraving,
carving
Height 3.5
N 9389
The Hermitage, Leningrad

Friedrich Köchli
177. Pen-holder
Petersburg
End of the XIX c.
Marks: Petersburg, master
F. Köchli, 56 standard
Gold, roses; casting, polishing
Length 15.1
N Э-17146
The Hermitage, Leningrad

178. Lorgnette on a chain
Petersburg
1883
Marks: Petersburg, master
F. Köchli
Gold, diamonds, roses, rubies,
sapphires, perls, glass, metal;
casting, chasing
Length 44.0
N Э-17166
The Hermitage, Leningrad

Ivan Britsin
179. Pendant
End of the XIX c.
No marks
Silver, polychromic enamel

Length 3.5
From the Britsin family in 1986
N 583
State Museum in Petrodvorets

180–181. Two unfinished frames
After 1903
Marks: 88 and profile
Silver, transparent enamel
34.7×28; 34.7×28.4
From the Britsins in 1986
N 593, 594
State Museum in Petrodvorets

182. Cuff-links
1908–1917
Marks: И.Б., 56, profile, "L"
Gold, enamel, diamond
Length – 3
From the Britsins in 1988
N 24599/1,2
State Museum in Petrodvorets

183. Unfinished seal
1908–1917
Marks: И.Б., 56, profile
Silver, colour gold, white cinder,
transparent enamel
Height 6.3
State Museum in Petrodvorets

184. Unfinished seal
1908–1917
Marks: И.Б., 85, 56, profile
Silver, colour gold, nephrite,
white cinder, transparent enamel
Height: 6.7
From the Britsins in 1988
N 24145
State Museum in Petrodvorets

185. Pencil
1903–1917
Marks: 56, 88, И.Б.
Silver, gold, almandyn,
transparent enamel
From the Britsin family in 1986
N 544
State Museum in Petrodvorets

186. Buckle
Beginning of the XX c.
No marks
Silver, gilt, transparent enamel,
diamonds, rubies
5.3×7.2
From the Britsins in 1986
N 541
State Museum in Petrodvorets

187. Powder-case
1908–1917
Marks: Брицынъ; 88, profile
and "L"
Silver, gilt, transparent enamel,
sapphires
5.8×8.8
From the Britsins in 1986
N 595
State Museum in Petrodvorets

188. Frame
After 1903
Marks: ИБ – twice; 88 – four
times, profile

Silver, gilt, transparent enamel
From the Britsins in 1986
N 545
State Museum in Petrodvorets

189. Umbrella handle
Beginning of the XX c.
No marks
Silver, gilt, transparent enamel,
crystal, bronze
From the Britsins in 1986
N 542
State Museum in Petrodvorets

190. Salt-cellar
1908
Marks: И.Б. 88 profile and assay
mark of A. V. Romanov
Silver, transparent enamel,
painting
Height: 4.7
From the Britsins in 1986
State Museum in Petrodvorets

191. Frame
Petersburg, beginning of the
XX c.
Marks: I. Britsin, 88 St. silver
Gilded silver
5.9 in diameter
N 1443-VII
Pavlovsk

192. Snuff-box
1903
Marks: 88; 88, profile, assay
mark of Ya. Ljapunov
Silver, gilt, polychromic
transparent enamel, painting,
diamond
Height: 2
From the Britsins in 1986
N 543
State Museum in Petrodvorets

193. Cigarette case
1908–1917
Marks: Брицынъ – twice, 88; 88,
profile and "L", 56
Silver, gold, transparent enamel
From the Britsins in 1986
N 540
State Museum in Petrodvorets

194. Table clock
1908–1917
Marks: Брицынъ, И.Б.– twice,
88, profile and "L"
Silver, gold, polychromic
transparent enamel
From the Britsins in 1986
N 539
State Museum in Petrodvorets

195–208. I. S. Britsin's tools
Petersburg, beginning of the
XXth c.
Two-sided hammer with a
rounded and flat planes; two-
sided small hammer of the same
shape; two-sided hammer with a
prolonged striking part of square
shape; copper anvil (7.7×1.8);
small anvil with oak basement;

small copper weight; stainless
steel compasses; copper scales
with brass pans; steel fret-saw
with wooden handle; cutter with
a straight narrow edge; stainless
steel pliers; a magnifying glass
(of high magnification), silver,
gilt, a sample of guilloché enamel
(green) (1×1); copper blank of
snuff-box with thread for
guilloché enameling
(9.2×4×2.1)
Inventory N 1412-ВХ–1422-ВХ,
Б/№, ВХ-1441
State Museum in Petrodvorets

Firm "Bolin"

209. Cigarette case
Petersburg, ca 1900
C. E. Bolin
Bronze, rose cut diamonds, gold,
sapphire
8.5×5.0
W. A. Bolin, Sweden,
Stockholm

Firm "A. Tillander"

210. Kovsh
St. Petersburg, before 1899
A.T.
nephrite, gold border and handle
in the shape of a snake, the eye
of a ruby en cabochon
Length 120 mm including
handle, width 55 mm
59 grams
A. Tillander, Helsinki

211. Paper-knife
St. Petersburg, before 1899
A.T.
nephrite, gold. Rubies en
cabochon, rose cut diamonds
Length 171 mm, width 18 mm.
Weight 40 grams
A. Tillander, Helsinki

Artel III

212. Tray
1908–1917
Petersburg

Marks: 3ᵃ А; 88, profile
Silver, transparent enamel
Length: 7.6
Bought in 1987
N 609
State Museum in Petrodvorets

213. Snuff-box
1908–1917
Petersburg
Marks: 3ᵃ А, 56
Silver, gilt, gold, diamond,
transparent enamel
Length: 5.3
Bought in 1987
N 647
State Museum in Petrodvorets

214. Table clock
1908–1917
Petersburg
Marks: 3ᵃ А, 88, profile and "L"
Silver, chasing, enamel,
transparent enamel, plastic
Diameter 11.7
Bought in 1988
N 24144
State Museum in Petrodvorets

**215. Clock with the support for
visiting-cards**
1908–1917
Petersburg
Marks: 3ᵃ А; 88, profile and
Greek letter
Silver, gilt, wood, enamel
Height 7.3
Bought in 1986
N 589
State Museum in Petrodvorets

Artel II

216. Tea-spoon
1908–1917
Moscow
Marks: К. Фаберже, ПА, 84
Silver, gild, enamel
Length: 14.3
From a state office in 1971
N 102157/20/ОК 18236
The State Historical Museum,
Moscow

The heirs of the Fabergé House traditions

**Enterprise "Russian Semi-
Precious Stones"**

217. Old man with a goose
Leningrad 1985
Master: N. P. Klochkov
Two-coloured gold, nephrite,
jasper, quarzit, diamonds
Property of the "Russian Semi-
precious Stones"
Leningrad

218. Python

Leningrad
1983
Master: P. B. Potiehin
Gold, almandine, nephrite, rock
crystal, diamonds
Property of the Enterprise
"Russian Semi-Precious Stones"
Leningrad

219. Heron
Leningrad
1984
Master: P. B. Potiehin
Gold, chalcedony, cornelian,
diamonds
Property of the Enterprise
"Russian Semi-Precious Stones"
Leningrad

Rybka Ludmila Victorovna
220. Walrus
Leningrad
1984
Master: L. V. Rybka
Gold, flint, obsidian
Property of the enterprise
"Russian Semi-Precious Stones"
Leningrad

221. Baboon
Leningrad
1984
Master: L. V. Rybka
Gold, chalcedony, zircons
Property of the Enterprise

"Russian Semi-Precious Stones"
Leningrad

Bertel Gardberg
222. Insect
Finland, 1988
Bertel Gardberg
Marks: BRG, 1988
Grey and green striated mineral,
silver
Length – 26.7
B. Gardberg. Finland

223. Sauce boat with ladle
Finland, 1983
Bertel Gardberg
Marks: 925, BRG, 1983
Silver
Length of sauce boat – 15.0;
width – 9.7;
height – 8.5
Length of sauce ladle – 11.0
B. Gardberg. Finland

T. S. Makiyevskaya
224. Ring
Leningrad

1975
T. S. Makiyevskaya
Silver; embossing, engraving
2×2
Author's ownership. Leningrad

225. Pendant
Leningrad
1985
T. S. Makiyevskaya
German silver, inlay
2×1.5
Author's ownership, Leningrad

226. Pendant
Leningrad
1985
T. S. Makiyevskaya
German silver, inlay
2×1.5
Author's ownership, Leningrad

227. Medallion
Leningrad

T. S. Makiyevskaya
1975
Silver; embossing, engraving
2×1.5
Author's ownership. Leningrad

228. Table decoration
Leningrad
1988
T. S. Makiyevskaya
Bronze, inlay; casting, engraving
8×5
Author's ownership. Leningrad

Jean Shanlen
**229. Medal "In the memory of the
exhibition in Paris in 1900"**
1900
Bronze
Diameter – 6.4
Gift from G. S. Aristov
N OM-1881
Moscow Kremlin Museum

Мастера фирмы Фаберже

Иоган Виктор Аарне (1863–1934)

1. Ваза
Петербург. Начало 1890-х годов
Фирма К. Фаберже (мастер В. Аарне)
Клейма: „Фаберже", „В.А.", герб Петербурга
инвентарный № 6240, клеймо пробирного инспектора Я. Ляпунова
Серебро; литье, чеканка. Фарфор фирмы Доултон (Англия)
В. 52,0
Поступила из коллекции Александровского дворца в Царском Селе (Палисандровая гостиная)
Инв. № ЦХ-749-VII
ГМЗ г. Павловска

2. Вазочка
Петербург. 1900 г.
Фирма К. Фаберже (мастер В. Аарне)
Клейма: „Фаберже", „В.А.", Петербургского пробирного инспектора Я. Ляпунова, инвентарный № 6240, проба 88
Серебро; литье, чеканка; Фарфор фабрики Ространд (Швеция)
В. 14,5
Поступила из Александровского дворца в Царском Селе
Инв. № ЦХ-4679-1
ГМЗ г. Павловска

3. Вазочка
Петербург. 1899–1903 годы
Фирма К. Фаберже (мастер В. Аарне)
Клейма: „Фаберже", „В.А.", проба 88, пробирного инспектора Я. Ляпунова
Стекло кракле, серебро; золочение
В. 8,2
Вазочка имеет форму расширяющуюся кверху; в нижней части серебряное оформление в виде листьев кувшинки
Поступила из Нижней дачи Николая II в Александрии Петергофа
Инв. № ПДМП – 622 дм
ГМЗ г. Петродворца

4. Корпус электрического звонка
Петербург. Начало XX в.
Фирма К. Фаберже (мастер В. Аарне)
Клейма: „Фаберже" (сбито), „В.А.", Петербургского пробирного управления 1908–1917 годов, проба 88
Серебро, сапфир; гравировка, позолота
3,8×3,8×3,8
Корпус звонка серебряный полусферический, поверхность покрыта желтой полупрозрачной эмалью, кнопка выполнена из кабашона сапфира
Поступил из Государственного музея этнографии в 1941 году
Инв. № ЭРО-4921
ГЭ, Ленинград

5. Корпус механического звонка
Петербург. Начало XX в.
Фирма К. Фаберже (мастер В. Аарне)
Клейма: „Фаберже", „В.А.", проба 91 Петербургского пробирного управления 1899–1907 гг.
Серебро, золото, лунный камень, эмаль
6,5×4,5×4,5
Инв. № 9266
ГЭ, Ленинград

6. Рамка
Петербург, около 1900 года
Фирма К. Фаберже (мастер В. Аарне)
Клейма: „Фаберже", „В.А.", Петербургского пробирного управления
Золото, гильошированная эмаль, рубины, алмазы – огранка „роза", жемчуг
5,0×3,7
Частное собрание. Швеция

7. Термометр
Петербург. 1900 г.
Фирма К. Фаберже (мастер В. Аарне)
Клейма: „Фаберже", на подставке – „В.А.", герб Петербурга, инвентарный № 56426, проба 88
Молочное стекло, слоновая кость, серебро, эмаль; литье, чеканка, гильошировка
В. 21
Поступил из коллекции Александровского дворца в Царском Селе
Инв. № ЦХ-763-VII
ГМЗ г. Павловска

8. Часы настольные
Петербург. Начало XX в.
Фирма К. Фаберже (мастер В. Аарне)
Клейма: „Фаберже", „В.А.", Петербургского пробирного управления, проба „84"
Золото, серебро, жемчуг; позолота, эмаль гильошированная
Д. 14
Механизм часов фирмы Г. Мозер
Поступили в 1985 году из гостиницы „Астория".
Инв. № ВХ-1964
ЕОДМ, Ленинград

И. Ф. Андреев

9. Портсигар
Москва. 1887 г.
Фирма К. Фаберже (мастер И. Андреев)
Клейма: „Фаберже" „JFA", ~~проба~~ 84, герб Москвы, А.Р. 1887
Серебро, скань, эмаль
12,8×6,9×2,4
Поверхность портсигара украшена растительным орнаментом скани с многоцветной эмалью, а также тонкой полосой белой эмали, которой оформлены виньетки, медальон и край портсигара.
Поступил из государственного учреждения в 1971 г.
Инв. № 102157/32/ок. 17703
ГИМ, Москва

Карл Густав Ялмар Армфельт (1873–1959)

10. Братина в виде кивера
Петербург. 1912 г.
Фирма К. Фаберже (мастер Я. Армфельт)
Клейма: „Фаберже", „Я.А.", Петербургского пробирного управления 1908–1917 годов
Серебро, дерево, эмаль; литье, чеканка, резьба, гравировка, канфарение, позолота
Кивер – 18,7×22,7×22,2
Султан – 30×11×11
Подставка – 18×34×29,5
Братина в виде кивера лейб-гвардии саперного батальона, сформированного в 1812 г., по всей вероятности изготовлена в его столетнем юбилее.
Братину украшает лента с надписью „За Балканы в 1877 году", накладная кокарда, Андреевская звезда, этишкет с пуговицами, двумя кистями, а также перекрещенными топориками и чешуйчатым ремешком.
К киверу изготовлена деревянная подставка с серебряными ручками и рюмка в виде султана на деревянной подставке.
Поступил в 1941 г.
Инв. № ЭРО-5002
ГЭ, Ленинград

11. Рамка для фотографии с портретом наследника престола Алексея
Петербург. Около 1907–1908 годов
Фирма К. Фаберже (мастер Я. Армфельт)
Клейма: „Фаберже", „Я.А." (дважды), проба 88, пробирного инспектора А. В. Романова
Серебро, транспарантная эмаль, стекло; золочение
Рамка двусторонняя, на одной поверхность покрыта белой гильошированной эмалью в виде пунктировки.
Поступила из Нижней дачи Николая II в Александрии Петергофа
Инв. № ПДМП-1919дм
ГМЗ г. Петродворца

12. Рамка для фотографии
Петербург. Начало XX в.
Фирма К. Фаберже (мастер Я. Армфельт)
Клейма: „Фаберже", „Я.А.", Петербургского пробирного управления
Серебро, алмаз – огранка „роза", стекло; золочение
22,2×15,7
Рамка имеет прямоугольную форму с накладными украшениями в виде гирлянд, венков и лент
Поступила из Нижней дачи Николая II в Александрии Петергофа
Инв. № ПДМП-314дм
ГМЗ г. Петродворца

13. Туалетный набор из шести предметов
Петербург. 1908–1917 годы
Фирма К. Фаберже (мастер Я. Армфельт)
Клейма: „Фаберже", „Я.А.", Петербургского пробирного управления, проба 88
Серебро, хрусталь, металл, щетина
Баночка – 8,0×7,5
Лоток – 6×9×13
Щетка большая – 22×7,5×2,5
Щетка малая – 17×5,5×2,5
Ложечка для обуви – 26×4
Крючок для обуви – 23,5×1,5
Поступил через закупочную комиссию ЕОДМ в 1988 г.
Инв. № КП-1727, 1728, 1729, 1730, 1731, 1732

ЕОДМ, Ленинград

Федор Афанасьев

14. Чернильница
Петербург. Начало XX в.
Фирма К. Фаберже (мастер
Ф. Афанасьев)
Клейма: „Фаберже", „А.Ф.",
проба 84, 56, Петербургского
пробирного управления
1899–1907 годов
Золото, серебро, нефрит,
алмазы, рубин, эмаль; литье,
чеканка, гравировка, резьба
7,7×6,3×6,5
Чернильница на нефритовом
основании, украшенном
накладными гирляндами
цветного золота. Поверхность
золотой откидной крышки
покрыта белой
гильошированной эмалью и
украшена розеткой с рубином
и бриллиантами.
Поступила через закупочную
комиссию Эрмитажа в 1986 г.
Инв. № ЭРО-9498
ГЭ, Ленинград

Генрих Вигстрем (1862–1923)

15. Индюк
Петербург. После 1908 года
Фирма К. Фаберже (мастер
Г. Вигстрем)
Клейма: „Фаберже", „H.W.",
герб Петербурга
Золото, пурпурин, различные
минералы
Частное собрание. Финляндия

16. Мушечница
Петербург. 1908–1917 годы
Г. Вигстрем
Клейма: „H.W." (трижды),
проба 88, 56, Петербургского
пробирного управления
Серебро, золочение, золото,
транспарантная эмаль
В. 1,0
Поступила из Московского
райфинотдела в 1980 г.
Инв. № ПДМП-317дм
ГМЗ г. Петродворца

17. Печать
Петербург. 1898–1899 годы
Фирма К. Фаберже (мастер
Г. Вигстрем)
Клейма: „H.W.", герб
Петербурга, проба 56,
пробирного инспектора
А. Рихтера
Сердолик, нефрит, золото;
чеканка
8,3×2,8
Поступила в 1951 г. из
Русского музея
Инв. № Э-17148
ГЭ, Ленинград

18. Пряжка
Петербург. 1908–1917 годы
Фирма К. Фаберже (мастер
Г. Вигстрем)
Клейма: „Фаберже", „H.W.",
проба 88, пробирное клеймо
А. В. Романова
Серебро, золото, рубины,
транспарантная эмаль
6,4×7
Поступила через закупочную
комиссию ГМЗ г. Петродворца
в 1987 г.
Инв. № ПДМП-660дм
ГМЗ г. Петродворца

**19. Солдат в форме
Преображенского полка
императорской гвардии**
Петербург. 1905–1908 годы
Фирма К. Фаберже (мастер
Г. Вигстрем)
Клейма: фирмы К. Фаберже,
„H.W.", проба 72,
инвентарный № 24242
Яшма, пурпурин, мрамор,
обсидиан, серебро, золото;
резьба, полировка, литье,
чеканка
17,7×11,2×3,4
У фигурки солдата мундир
выполнен из темной яшмы с
отделкой из пурпурина и
розовой яшмы, а поясок из
белого мрамора. Для лица и
кистей рук использована
светлорозовая яшма, для
кокарды – обсидиан; глаза
выполнены из сапфиров.
Пуговицы, эполеты, пряжка
на поясе, медаль и орден на
груди, подбородник, обод
кивера, ложе и ствол винтовки
отчеканены из золота. Над
кокардой на золотой ленте
надпись: „За Ташкисен 19 дек.
1877 г." Ташкисен – селение в
Болгарии на пути из Софии в
Орханиэ. Селение приобрело
известность в русско-турецкую
войну 1877–1878 гг. 19 декабря
1877 г. русские войска под
началом генерала Гурко
овладели позицией у
Ташкисена, заставив отступить
турецкие войска под
командованием Шакирпаши.
Фигурка помещена в футляр,
выполненный из светлого
дерева с внутренней обивкой
из бархата и атласа. На
внутренней стороне крышки
футляра надписи: „Фаберже",
„Ст Петербург, Москва,
Лондонъ".
Поступил из коллекции
Александровского дворца в
Царском Селе.
Инв. № ЦХ-824-VII
ГМЗ г. Павловска

**20. Стопка в виде фигурки
слона**
Петербург. Начало XX в.
Фирма К. Фаберже (мастер
Г. Вигстрем)
Клейма: „Фаберже", „H.W.",
проба 88, Петербургского
пробирного управления
1899–1908 гг.
Серебро, позолота,
альмандины; литье
4,1×4,7×5,3
На стопке гравированная
надпись: $10\frac{11}{XI}04$ baby Helen

Поступила через экспертно-
закупочную комиссию
Эрмитажа в 1966 г.
Инв. № ЭРО 8965
ГЭ, Ленинград

21. Часы настольные
Петербург. Начало XX в.
Фирма К. Фаберже (мастер
Г. Вигстрем)
Клейма: „Фаберже", „H.W.",
Петербургского пробирного
управления 1908–1917 годов,
проба 88
Серебро, сталь, эмаль, кость;
чеканка
10,5×10,5×2,0
Часы квадратные по форме,
лицевая поверхность покрыта
серой гильошированной
эмалью
Поступили из закупочной
комиссии Эрмитажа в 1982 г.
Инв. № ЭРО-9334
ГЭ, Ленинград

22. Часы настольные
Петербург. 1903–1908 годы
Фирма К. Фаберже (мастер
Г. Вигстрем)
Клейма: „Фаберже", „H.W.",
герб Петербурга, пробирного
инспектора А.Р., проба 91
Серебро, жемчуг, кость,
стекло; золочение, гравировка
12,7×7,8×2,0
Поступили в 1983 г.
Инв. № КП-8992св246
ВМДПНИ, Москва

23. Часы настольные
Петербург. 1903–1908 годы
Г. Вигстрем
Клейма: „H.W.", пробирное
клеймо А. Рихтера
Серебро, золото,
транспарантная эмаль;
чеканка, золочение
В. 20,0
Поступили через закупочную
комиссию ГМЗ г. Петродворца
в 1981 г.
Инв. № ПДМП-334дм
ГМЗ г. Петродворца

**24. Эскиз декора окантовки
зеркала**

Г. Вигстрем
Бумага, акварель, карандаш
5,5×4,5; 9,5×5,0
Частное собрание. Ленинград

Стефан Вякева (1833–1910)

25. Кофейник
Петербург. Около 1903 года
Фирма К. Фаберже (мастер
С. Вякева)
Клейма: „Фаберже", „S.W.",
герб Петербурга, проба 84
Серебро, кость, золочение;
литье, штамповка
22×21,9×12
Инв. № КП-6928мд358св107
ВМДПНИ, Москва

26. Сливочник
С. Вякева
Клеймо: „S.W.", проба 84
Серебро; чеканка, штамповка
В. 10
ЕОДМ, Ленинград

Андрей Горянов

27. Рамка
Петербург. 1908–1917 годы
Горянов А.
Клейма: „А.Г.",
Петербургского пробирного
управления
Серебро, транспарантная
эмаль, стекло; чеканка,
гильоширование
Д. 6,6
Рамка круглой формы,
поверхность покрыта голубой
эмалью.
Поступила через закупочную
комиссию ГМЗ г. Петродворца
в 1980 г.
Инв. № ПДМП-332дм
ГМЗ г. Петродворца

Николай Николаевич Зверев

28. Портсигар
Москва. 1908–1917 годы
Фирма К. Фаберже (мастер
Н. Зверев)
Клейма: „Фаберже", „Н.З.",
проба 84
Серебро, эмаль
9,7×8,1×1,4
Поверхность портсигара
покрыта мелким узором из
сканной проволоки и
многоцветной эмалью.
Поступил из государственного
учреждения в 1971 г.
Инв. № 102157/34/ок.17704
ГИМ, Москва

**Эрик Август Коллин
(1836–1901)**

29. Чаша
Петербург. 1880-е годы
Фирма К. Фаберже (мастер
Коллин)
Клейма: Петербурга,
„Фаберже", „Е.К.", герб

Петербурга, проба 84
Агат, серебро, альмандины;
литье, чеканка, золочение,
резьба
6×11,7×6,1
Поступила через Экспертно-
закупочную комиссию
Эрмитажа в 1984 г.
Инв. № Э-17797
ГЭ, Ленинград

Андерс Невалайнен (1858–1933)

30. Зажигалка настольная
А. Невалайнен
Клейма: „A.N.", проба 88,
инвентарный № 16936
Серебро, бовенит, эмаль;
позолота
В. 14,0
На зажигалке дарственная
надпись на датском языке „От
императрицы Марии
Федоровны, 1/2/1910
С. Х. Рордам" „А ла Велле
Руси" Нью-Йорк

31. Ковш
Петербург. Начало XX в.
Фирма К. Фаберже (мастер
А. Невалайнен)
Клейма: „Фаберже",
Петербургского пробирного
управления 1899–1903 годов,
проба 88
Серебро, позолота, нефрит,
эмаль; литье, гравировка
7,8×16,0×8,6
Ковш серебряный,
позолоченный, поверхность
тулова покрыта синей
гильошированной эмалью. В
дно ковша впаян рубль 1753 г.,
на полке ковша кабашон
нефрита
Приобретен через закупочную
комиссию Эрмитажа в 1961 г.
Инв. № ЭРО-8917
ГЭ, Ленинград

32. Колокольчик
Петербург. Около 1903 года
Фирма К. Фаберже (мастер
А. Невалайнен)
Клейма: „Фаберже", „A.N.",
проба 88
Серебро, позолота; литье,
гравировка
5,5×8,0
Колокольчик имеет ручку в
виде лаврового венка с
цифрами XXV. На
колокольчике гравированная
надпись „Звони до золотой"
Принадлежал директору
Эрмитажа в
предреволюционные годы
графу Д. И. Толстому.
Поступил от Л. И. Толстой в
1987 году
Инв. № КП-1438
ЕОДМ, Ленинград

33. Кружка
Петербург. Начало XX в.
Фирма К. Фаберже (мастер
А. Невалайнен)
Клейма: „Фаберже", „A.N.",
проба 88, Петербургского
пробирного управления
1899–1903 годов
Серебро, позолота, эмаль;
литье, гравировка
10,5×7,0×7,0
Кружка серебряная с крышкой
на трех ножках-шариках,
поверхность тулова покрыта
темно-синей эмалью; в
крышку и тулово впаяны
серебряные монеты XVIII в.
Поступила в 1951 г.
Инв. № ЭРО-7698
ГЭ, Ленинград

34. Обложка для блокнота
Петербург. Начало XX в.
Фирма К. Фаберже (мастер
А. Невалайнен)
Клейма: „Фаберже", „AN",
проба 88
Серебро, красное дерево,
позолота; литье, чеканка,
штамповка
2,8×16,5×14,4
Обложка для блокнота
деревянная с серебряными
накладками в виде венка,
листьев аканта, розеток,
фигурок сфинксов
Поступила из Госфонда
в 1987 г.
Инв. № ЭРО-9502
ГЭ, Ленинград

35. Рамка
Петербург. 1899–1903 годы
Фирма К. Фаберже (мастер
А. Невалайнен)
Клеймо: „Фаберже", „AN"
(дважды), пробирное клеймо
Я. Ляпунова, проба 88
Серебро, металл,
транспарантная эмаль;
чеканка
20,9×14,9
Поступила через закупочную
комиссию ГМЗ г. Петродворца
в 1987 г.
Инв. № ПДМП-664дм
ГМЗ г. Петродворца

36. Рамка
Петербург. Последняя
четверть XIX в.
А. Невалайнен
Клейма: „AN", герб
Петербурга, проба 88
Серебро, кожа, стекло;
чеканка
Д. 9,1
Поступила через закупочную
комиссию ГМЗ г. Петродворца
в 1987 г.
Инв. № ПДМП-651дм

ГМЗ г. Петродворца

37. Рамка
Петербург. 1908 г.
А. Невалайнен
Клейма: „AN", пробирное
клеймо А. В. Романова
Груша, керамика, серебро;
золочение
Рамка круглой формы
украшена чеканными
серебряными ободками
Д. 15,5
Поступила из дворца Коттедж
в Александрии Петергофа
Инв. № ПДМП-192дм
ГМЗ г. Петродворца

38. Рамка
Петербург. Последняя
четверть XIX в.
Фирма К. Фаберже (мастер
А. Невалайнен)
Клейма: „Фаберже", „AN",
герб Петербурга, проба 88
Серебро, стекло,
гильошированная эмаль
87×68
Поступила в 1987 г. из
частного собрания
Инв. № 1542
ГМДПИ народов СССР,
Москва

39. Чарочка
Петербург. 1899–1903 годы
Фирма К. Фаберже (мастер
А. Невалайнен)
Клейма: „Фаберже", „AN",
пробирное клеймо
Я. Ляпунова
Серебро, транспорантная
эмаль; золочение
В. 3,7
Чарочка круглая на трех
ножках, поверхность которой
покрыта светлосерой
гильошированной эмалью
Поступила из Дзержинского
РФО в 1981 г.
Инв. № ПДМП-335дм
ГМЗ г. Петродворца

40. Чернильница
Петербург. Начало XX в.
Фирма К. Фаберже (мастер
А. Невалайнен)
Клейма: „Фаберже", „AN",
проба 88
Серебро, дерево; литье,
чеканка
12,2×13,5×17,8
Чернильница серебряная с
откидной крышкой на трех
ножках в виде козлиных
копыт, основание
чернильницы деревянное с
серебряными накладками, на
серебряных ножках
Поступила из Госфонда
в 1987 г.
Инв. № ЭРО-9501

ГЭ, Ленинград

Михаил Евлампиевич Перхин (1860–1903)

41. Агатовая чаша
Петербург. 1890–1900 годы
Фирма К. Фаберже (мастер
М. Перхин)
Клейма: „Фаберже", „М.П.",
герб Петербурга, проба 56
Золото, агат, эмаль; чеканка,
гравировка
7,2×7,7×1,6
Поступила из ГМФ в 1951 г.
Инв. № Э-17150
ГЭ, Ленинград

42. Блюдо с гербом Петербурга
Петербург. 1886 г.
Фирма К. Фаберже (мастер
М. Перхин)
Клейма: „Фаберже", „М.П.",
проба 88
На обороте надпись: „От
дворянства С.-Петербургской
губернии. 1896 г."
Серебро, алмазы, горный
хрусталь, эмаль; литье,
чеканка, гравировка,
золочение, шлифовка
39×33 (овал)
Поступило в 1922 г. из
Бриллиантовой кладовой
Зимнего дворца
Инв. № Э-6388
ГЭ, Ленинград

43. Брошь-пряжка
Петербург. Начало XX в.
Перхин М. Е.
Клейма: „М.П.", герб
Петербурга, проба 56
Золото, жемчуг, алмазы –
огранка „роза", эмаль; литье,
чеканка
7,2×3,5
Поступила из ГМФ в 1951 г.
Инв. № Э-17175
ГЭ, Ленинград

44. Витрина настольная
Петербург. 1900-е годы
Фирма К. Фаберже (мастер
М. Перхин)
Клейма: „Фаберже", „М.П.",
проба 56
Агат, золото; чеканка,
гравировка, резьба
7,5×4,9×7,0
Поступила в 1948 г., из
Городской закупочной
комиссии
Инв. № Э-15603
ГЭ, Ленинград

45. Звонок электрический
Петербург. 1900-е годы
Фирма К. Фаберже (мастер
М. Перхин)
Клейма: „Фаберже", „М.П.",
проба 88

Серебро, эмаль, лунный камень, медные сплавы, шелк; золочение, чеканка, гильшировка
3,8×5,0
Поступил в 1922 г. из Зимнего дворца
Инв. № Э-13496
ГЭ, Ленинград

46. Звонок
Петербург
Фирма К. Фаберже (мастер М. Перхин)
Клейма: „Фаберже", „М.П.", проба 56, герб Петербурга, гравировка № 52182
Золото, бовенит, эмаль, лунные камни
6,35×5,7
„А ла Велле Руси"
Нью-Йорк. США

47. Компас
Петербург. До 1903 года
Фирма К. Фаберже (мастер М. Перхин)
Клейма: „Фаберже", „М.П.", гравировка № 4365
Золото, нефрит, гранаты
5,8×3,7
Собрание А. Тилландер, Финляндия. Хельсинки

48. Компас
Петербург. Конец XIX в.
Фирма К. Фаберже
Клейма: „Фаберже", „М.П.", проба 56
Двухцветное золото, бриллианты, эмаль, стекло; литье, чеканка, гравировка
3,8×3,9
Поступил в 1951 г. из ГМФ
Инв. № Э-17145
ГЭ, Ленинград

49. Коробочка
Петербург. Конец XIX в.
Фирма К. Фаберже (мастер М. Перхин)
Клейма: „Фаберже", „М.П.", проба 72
Золото, бриллианты, алмазы – огранка „роза", горный хрусталь, гильшированная эмаль
1,2×7,5×4,1
Поступила в 1951 г. из Русского музея
Инв. № Э-15729
ГЭ, Ленинград

50. Коробочка
Петербург. Конец XIX в.
Фирма К. Фаберже (мастер М. Перхин)
Клейма: „Фаберже", „М.П.", проба 56
Нефрит, золото, алмазы – огранка „роза", рубины; резьба, чеканка
3,1×6,1×6,3

Поступила в 1951 г. из ГМФ
Инв. № Э-17151
ГЭ, Ленинград

51. Коробочка
Петербург. 1890-е годы
Фирма К. Фаберже (мастер М. Перхин)
Клейма: „Фаберже", „М.П.", герб Петербурга, проба 72
Золото, агат; чеканка, полировка
4,2×2,9
Коробочка восьмигранной формы, составленная из пластин агата, соединенных полосами золота с геометрическим орнаментом. Агатовая крышка крепится на шарнире.
Поступила в 1925 г. из собрания Мусина–Пушкина.
Инв. № Э-13512
ГЭ, Ленинград

52. Коробочка
Петербург
Фирма К. Фаберже (мастер М. Перхин)
Клейма: „Фаберже", „М.П.", герб Петербурга, проба 56, номер 47449
Золото, эмаль, алмазы, рубины, сапфир; полировка
2,8×2,3×2,2
Коробочка прямоугольной формы покрыта белой эмалью; поверхность декорирована насечками в виде стеблей, которые завершаются рубинами, образующими цветы.
В крышку вмонтирован сине-голубой сапфир, окантованный рядом алмазов.
Поступила в 1908 г. из собрания вел. кн. Алексея Александровича.
Инв. № Э-307
В описи коллекции вел. кн. Алексея Александровича отмечено: „№ 31. Бонбоньерка золотая, белой эмали, в индийском стиле, с бледным сапфиромъ, инкрустированным в золоте, работы Фаберже. 600 р."
Оценка произведена Агафоном Фаберже, дата 31 декабря 1908 г.
ГЭ, Ленинград

53. Крест с портретом Александра III
Петербург. 1880-е годы
Фирма К. Фаберже (мастер М. Перхин)
Клейма: „Фаберже", „М.П.", герб Петербурга, проба 56
Золото, эмаль, стекло, фотография; гравировка

4,6×2,1
Крест золотой восьмиконечный: в центре, в овальной раме, покрытой черной эмалью, под стеклом вмонтирована фотография – портрет Александра III. На обороте креста выгравирована дата 20.X.1884 и вензель „АШ" под императорской короной. Вероятно, крест был изготовлен в память об Александре III, о чем свидетельствуют вмонтированный портрет в траурной рамке и выгравированная на обратной стороне дата смерти императора.
Поступил из Екатерининского дворца-музея г. Пушкина в 1935 г.
Инв. № Э-15595
ГЭ, Ленинград

54. Печать
Петербург. 1880–1890 годы
Фирма К. Фаберже (мастер М. Перхин)
Клейма: „Фаберже", „М.П.", проба 56
Нефрит, сапфир, золото, эмаль; чеканка, гравировка
8,3×2,5
Поступила в 1951 г. из ГМФ
Инв. № Э-17147
ГЭ, Ленинград

55. Рамка с портретной миниатюрой
Петербург. 1899–1900 годы
Фирма К. Фаберже (мастер М. Перхин)
Клейма: „Фаберже", „М.П.", проба 56
На миниатюре надпись: Th. Zashe 99
На обороте миниатюры надпись: Charles Goluchowski 1899
Четырехцветное золото, серебро, жемчуг, слоновая кость, эмаль; чеканка, гильшировка, гуашь
9,5×7,9
Поступила в 1951 г. из ГМФ
Инв. № Э-16958
ГЭ, Ленинград

56. Рамка
Петербург. До 1903 года
М. Перхин
Клейма: „М.П.", Петербургского пробирного управления
Палисандр, серебро; золочение
14,7×12,4
Рамка прямоугольная, деревянная с накладными серебряными украшениями. В

рамке фотография великой княгини Анастасии
Поступила из Нижней дачи Николая 2 в Александрии, Петергоф.
Инв. № ПДМП-198 дм
ГМЗ г. Петродворца

57. Рамка для фотографии
Петербург. 1898 г.
Фирма К. Фаберже (мастер М. Перхин)
Клейма: „Фаберже", „М.П.", герб Петербурга
проба 88
Серебро, золото, кость, эмаль; литье, резьба, гравировка, позолота
14,3×7,0
Серебряная рамка украшена красной полупрозрачной эмалью по гранированному фону и белой опаковой эмалью. Накладки выполнены из цветного золота. На фотографии изображена Ксения Александровна с сыном Федором Александровичем.
На оборотной стороне на костяной пластине надпись: From Nicy and Alex, 25 may 1898
Поступила из Государственного музея этнографии в 1941 г.
Инв. № ЭРО-6761
ГЭ, Ленинград

58. Стопка в виде фигурки слоника
Петербург. Начало XX в.
Фирма К. Фаберже (мастер М. Перхин)
Клейма: „Фаберже", „М.П.", Петербургского пробирного управления 1899–1903 годов, проба 88
Серебро, альмандины; позолота, литье, резьба
4,1×4,7×5,3
На спинке фигурки надпись: „Для Сежи от Голубева"
Поступила через Экспертно-закупочную комиссию Эрмитажа в 1966 г.
Инв. № ЭРО-8964
ГЭ, Ленинград

59. Термометр спиртовой подвесной (по Рюмеру)
Петербург. 1900 г.
Фирма К. Фаберже
Клейма: „Фаберже", „М.П.", проба 88
Молочное стекло, гильшированная эмаль, серебро; золочение в два тона (желтое и зеленое), литье, чеканка
В. 18,7

Поступил из коллекции Александровского дворца в Царском Селе
Инв. № ЦХ-734-VII
ГМЗ г. Павловска

60. Флакон
Петербург. Конец XIX в.
Фирма К. Фаберже (мастер М. Перхин)
Клейма: „Фаберже", „М.П.", герб Петербурга
Золото, бронза, оникс, гранаты; золочение
8,1×3,6×3,6
Поступил из Дзержинского РайФУ г. Ленинграда в 1981 г.
Инв. № ЕД515-V
ГМЗ г. Пушкина

61. Часы настольные
Петербург. 1896–1903 годы
М. Перхин
Клейма: „М.П.", герб Петербурга повторен дважды
Яшма, серебро; чеканка
В. 17,5
Часы выполнены из красной яшмы с накладным чеканным орнаментом в виде арабесок, ленточных гирлянд
Поступил в 1974 году
Инв. № ПДМП-501 дм
ГМЗ г. Петродворца

62. Шкатулка
Петербург
Фирма К. Фаберже (мастер М. Перхин)
Клейма: „Фаберже", „М.П.", проба 84
Серебро, дерево, яшма, бархат; золочение
5,6×9,5×6,7
Поступила из ГИМ в 1981 г.
КП-9697 мд 542 св 249
ВМДПНИ, Москва

63. Шкатулка „Черепаха"
Петербург. 1899–1903
Фирма К. Фаберже (мастер М. Перхин)
Клейма: „Фаберже", „М.П.", проба 56, Петербургского пробирного управления, „Я.Л."
Золото, алмазы, нефрит
6,6×10×14,2
Поступила в 1986 году
Инв. № КП-10730
ВМДПНИ, Москва

Юлий Александрович Раппопорт (1850–1917)[1]

64. Ваза
Петербург. 1890-е годы
Фирма К. Фаберже (мастер Ю. Раппопорт)
Клейма: „Фаберже", „I.P.", герб Петербурга
Двуслойное стекло, серебро; литье, резьба, чеканка

9,8×14,3
Поступила из коллекции Александровского дворца в Царском Селе
Инв. № ЦХ-9980-1
ГМЗ г. Павловска

[1] РАППОПОРТ ИСААК АБРАМОВИЧ родился в Ковенской губернии, местечке Датнов в 1850 году, умер в 1917 году в Петербурге. В 1880 году получил диплом подмастерья в С-Петербургской ремесленной управе, а в 1884 году там же – диплом мастера. Купец 2-й гильдии с 1896 года.
Этим уточнением данных о Раппопорте исследователь В. В. Скурлов подтверждает правописание именников мастера „I.P." и „I.R.".

65. Ваза для цветов
Петербург. Конец XIX в.
Фирма К. Фаберже (мастер Ю. Раппопорт)
Клейма: „Фаберже", „I.P.", проба 88
Дымчатый кварц, серебро; литье, чеканка, золочение, резьба
В. 37,0
Поступила в 1931 г. из собрания Зимнего дворца.
Инв. № Э-17576
ГЭ, Ленинград

66. Графин в виде фигуры бобра
Петербург. Конец XIX в.
Фирма К. Фаберже (мастер Ю. Раппопорт)
Клейма: „Фаберже", „I.P.", проба
Серебро; литье, чеканка, золочение
23,2×15,6×2,5
Инв. № ЭРО-5001
ГЭ, Ленинград

67. Ковш
Петербург
Фирма К. Фаберже (мастер Ю. Раппопорт)
Клейма: „Фаберже", „I.P.", проба 88
Серебро; позолота, штамповка, чеканка, резьба, литье, гравировка
25,0×10,2×12,0
Ковш опирается на три шаровидные ножки, украшен широкой орнаментированной фигурной ручкой; в центре на дне ковша литой медальон с изображением Екатирины II.
Поступил из собрания профессора А. Н. Песоцкого в 1988 г.
Инв. № КП-1661
ЕОДМ, Ленинград

68. Кубок
Петербург. 1898 г.
Фирма К. Фаберже (мастер Ю. Раппопорт)
Клейма на кубке: „Фаберже",

„I.P.", (повторено дважды) 38, пробирное клеймо
Я. Ляпунова. Клейма на футляре: герб России, фирменная марка Фаберже. На медной табличке надпись: „Невский яхт клубъ призъ Государя императора парусная гонка 22-ое июня 1898 г. въ Петергофъ яхта „Перкунъ".
Серебро; золочение, чеканка, гравировка
Кубок выполнен в стиле барочных кубков 18 века, крышка увенчана двуглавым орлом, в тулово и крышку вплавлены монеты и юбилейные медали времени правления Петра I – Николая II
Поступил из коллекции Е. Соболева – гражданина Финляндии в 1987 г.
Инв. № ПДМП-656, 656/1дм
ГМЗ г. Петродворца

69. Лампа – ночник
Петербург. 1900 г.
Фирма К. Фаберже (мастер Ю. Раппопорт)
Клейма: „Фаберже", „I.P.", герб Петербурга, проба 88
На абажуре герб Пруссии конца XIX – начала XX вв., проба 800
Оникс, серебро, аметисы, шелк; литье, чеканка
В. 26
Поступила из коллекции Александровского дворца в Царском Селе
Инв. № ЦХ-714-411
ГМЗ г. Павловска

70. Лампа в форме амфоры
Петербург. 1890-е годы
Фирма К. Фаберже (мастер Ю. Раппопорт)
Клейма: „Фаберже", „I.P.", герб Петербурга, пробирного инспектора Я. Ляпунова, проба 88
Оникс, серебро, шелк; литье, чеканка
В. 27,5
Поступила из коллекции Александровского дворца в Царском Селе
Инв. № ЦХ-715-VII
ГМЗ г. Павловска

71. Набор для карточной игры
Петербург. Начало XX в.
Фирма К. Фаберже (мастер Ю. Раппопорт)
Клейма: „Фаберже", „I.P.", Петербургского пробирного управления 1899–1907 годов.
Печать на коробке: Фаберже, С. Петербург–Москва
Родонит, серебро, щетина;

литье, гравировка
Коробка – 5,4×26,7×15,6; щетки – 3,3×5,3×5,3; мелки – 8,4×1,4×1,4
Поступил через закупочную комиссию Эрмитажа в 1958 г.
Инв. № ЭРО-8864-8871
ГЭ, Ленинград

72. Настольная витринка – портшез
Петербург. 1900 г.
Фирма К. Фаберже (мастер Ю. Раппопорт)
Клейма: „Фаберже", „I.P.", герб Петербурга, проба 88
Стекло, серебро; литье, чеканка
32×19,5×14,9
Поступила из Александровского дворца в Царском Селе
Инв. № ЦХ-9995-1
ГМЗ г. Павловска

73. Пепельница в виде фигурки карпа
Петербург. Начало XX в.
Фирма К. Фаберже (мастер Ю. Раппопорт)
Клейма: „Фаберже", „IP", проба 88, Петербургского пробирного управления 1899–1907 гг.
Серебро; литье, чеканка, позолота, резьба
8,2×10,3×6,5
Поступила через закупочную комиссию Эрмитажа в 1966 г.
Инв. № ЭРО-8962
ГЭ, Ленинград

74. Поднос
Петербург
Фирма К. Фаберже (мастер Ю. Раппопорт)
Клейма: „Фаберже", „I.P.", проба 88
Серебро; штамповка, гравировка
Д. 19,5
Поступил из гостиницы „Астория" в 1985 году
Инв. № ВХ-1923
ЕОДМ, Ленинград

75. Стаканчик для карандашей
Петербург
Фирма К. Фаберже (мастер Ю. Раппопорт)
Клейма: фирмы „Фаберже", „I.P.", проба 88
Серебро, кобальтовое стекло; штамповка, литье, гравировка
В. 11,0
Поступил от Л. И. Толстой в 1988 году
Инв. № КП-1812
ЕОДМ, Ленинград

76. Чернильница
Петербург
Фирма К. Фаберже (мастер

Ю. Раппопорт)
Клейма: „Фаберже", „I.P.",
проба 88
Горный хрусталь, альмандин,
серебро; чеканка
В. 18,5
Поступила в 1985 году из
гостиницы „Астория"
Инв. № ВХ-1924
ЕОДМ, Ленинград

Филипп Теодор Ринге

77. Флакон
Петербург. Конец XIX в.
Т. Ринге
Клейма: T.R. проба 56
Кварцит, нефрит, золото,
алмаз
В. 6,5
Поступил через закупочную
комиссию ГМЗ г. Петродворца
в 1984 г.
Инв. № ПДМП-530 дм
ГМЗ г. Петродворца

Федор Рюкерт

78. Ложка кофейная
Москва. 1908–1917 годы
Фирма К. Фаберже (мастер
Ф. Рюкерт)
Клейма: „Фаберже", „Ф.Р.",
проба 84
Серебро, позолота, эмаль
Д. 10,8
Поверхность ложечки
покрыта сканным орнаментом
с многоцветной эмалью,
выполненным в новорусском
стиле.
Поступила из
государственного учреждения
в 1971 г.
Инв. № 102157/96/ок.18252
ГИМ, Москва

Владимир Соловьев

79. Флакон
Петербург. 1908–1917 годы
Клеймо: „В.С.", проба 84
Хрусталь, золото, серебро,
аметист, транспарантная
эмаль; гранение, золочение
В. 9,3
Хрустальный флакон с
откидной шлемовидной
крышкой, поверхность
которой покрыта белой
гильошированной эмалью.
Поступил через закупочную
комиссию музея в 1986 г.
Инв. № ПДМП-588дм
ГМЗ г. Пушкина

**Август Фредрик Холминг
(1854–1913)**

80. Брошь
До 1913 года
А. Холминг
Клейма: „А★Н", проба 56
Золото, алмазы, эмаль,
бриллиант

3,0×1,3
Частное собрание. Ленинград

**Август Вильгельм Хольмстрем
(1829–1903)**

81. Булавка
Петербург. Около 1860 года
А. Хольмстрем (?)
Клейма: „А.Н.", герб
Петербурга
Золото, алмазы, эмаль
8,7×2,3
Булавка золотая в виде змеи.
Поверхность предмета
покрыта черной эмалью по
золоту, глаза декорированы
алмазами
Поступила из собрания
герцогов Ольденбургских в
1924 г.
Инв. № Э-10830
ГЭ, Ленинград
Произведение фирмы
без клейм мастерских,
и с неустановленныйм
авторством

82. Аист
Фирма К. Фаберже
Золото, серебро, рубины,
нефрит; позолота, гравировка
(подставка заменена)
В. 9,0
Собрание М. Камидяна,
Париж. Франция

83. Братина
Москва. Около 1900 года
Фирма К. Фаберже
Клейма: „Фаберже",
пробирного инспектора
проба 88, инвентарный
№ 19506
Серебро; позолота, опаковая
эмаль, чеканка, гравировка,
патинировка (эмалевое
покрытие поновлено)
10,0×10,0
Собрание М. Камидяна,
Париж. Франция

84. Брошь-кулон
Москва. 1899–1908 годы
Фирма К. Фаберже
Клейма: К.Ф. Московского
пробирного управления
Золото, серебро, бриллианты,
эмаль; литье, резьба
4,8×3,9
Брошь-кулон выполнена из
золота в стиле модерн,
украшена белой эмалью и
двенадцатью бриллиантовыми
подвесками
Поступила в 1986 г.
Инв. № МР-11322/1–2
ГММК, Москва

85. Брошь-подвеска „Цветок шиповника"
Конец XIX в.
Фирма К. Фаберже

Клейма: инв. № 545171
Золото, расписная эмаль,
бриллиант
Д. 3,6
Собрание М. Камидяна.
Франция, Париж

86. Ваза
Москва. Начало XX в.
Фирма Фаберже
Клейма: „Фаберже", проба 84,
№ 7874
Фарфор фирмы Доултон
(Англия), серебро; литье,
чеканка
20,0×21,0
Опорами вазы служат три
литые фигурки лягушек.
Поступила из коллекции
Александровского дворца в
Царском Селе (Палисандровая
гостиная)
Инв. № ЦХ-6155-1
ГМЗ г. Павловска

87. Ваза
Москва. 1908–1917 годы
Фирма К. Фаберже
Клейма: „Фаберже", герб
России, пробирное клеймо
Москвы, проба 88
На футляре: герб России,
„К. Фаберже" С. Петербург,
Москва, Одесса, Лондонъ.
Хрусталь, серебро; золочение,
чеканка, гранение
В. 20,4
Плоская хрустальная чаша
поддерживается подставкой в
виде трех лебедей. Футляр
выполнен из светлого дуба
В. 23,5
Поступила через закупочную
комиссию ГМЗ г. Петродворца
Инв. № ПДМП-672, 672/1
ГМЗ г. Петродворца

88. Ваза для фруктов
Конец XIX в.
Фирма К. Фаберже
Клейма: „Фаберже", проба 88
(дважды) К.Ф.
Серебро, стекло; литье,
чеканка, резьба, гравировка,
алмазная грань
31,2×26,4
Ваза имеет волнистый край,
декорирована гравированными
„листьями", желобками и
гирляндами. Подставка
выполнена в виде двух
овальных плоскостей,
соединенных шестью
колонками с капителями.
Поступила из гостиничного
комплекса „Интурист-
Националь" в 1985 г.
Инв. № 344/1,2
ГМДПИ народов СССР,
Москва

89. Ваза для фруктов

Начало XX в.
Фирма К. Фаберже
Клейма: „Фаберже", проба 88
Серебро, стекло; литье,
чеканка, резьба, алмазная
грань
42,2×25,1×19,1
Ваза декорирована
геометрическим орнаментом в
виде сеток и звезд, вписанных в
ромбы. Серебряная подставка
сложного профиля на 4-х
круглых ножках с двумя
массивными ручками, в виде
венков. В нижней части
подставки поздняя
гравированная надпись: „Ново-
Московская Интурист", на
другом – „69-ж"
Поступила из гостиничного
комплекса „Интурист-
Националь" в 1985 г.
Инв. № Мт 1249/1,2
ГМДПИ народов СССР,
Москва

90. Вазочка
Фирма К. Фаберже
Клейма: „Фаберже", проба 84
Серебро, хрусталь; алмазная
грань
В. 13,0
Частное собрание. Ленинград

91. Ваза-холодильник
Москва. Начало XX в.
Фирма К. Фаберже
Клейма: „Фаберже",
Московского пробирного
управления 1908–1917 гг.
Серебро, позолота; литье,
чеканка, гравировка
43,5×29,5×20
Поступила из
Государственного музея
этнографии в 1941 г.
ГЭ, Ленинград

92–93. Два бокала в виде фигурок сидящих медведей
Москва. Конец XIX в.
Фирма К. Фаберже
Клейма: „Фаберже",
пробирное клеймо Москвы
Серебро, золочение; чеканка
9,5×9,7
Поступили через закупочную
комиссию ГМЗ г. Петродворца
ГМЗ г. Петродворца

94–95. Два графина
Москва. Начало XX в.
Фирма К. Фаберже
Клейма: „Фаберже", герб
России повторен дважды,
пробирное клеймо
И. С. Лебедкина
Хрусталь, серебро, золочение;
гранение, чеканка
В. 25,5
Поступили через закупочную
комиссию ГМЗ г. Петродворца

в 1981 г.
Инв. № ПДМП-638, 644дм
ГМЗ г. Петродворца

96. Звонок настольный
Петербург. 1913 год
Фирма К. Фаберже
Клейма: „Фаберже", проба 88
Серебро, изумруд; чеканка
В. 7,0
Звонок выполнен в виде
моющейся кошки. На хвосте
гравированная надпись
„Дорогому П. Г. Карцову въ
память Конно-Саперной
команды 1912–1913 гг.
Кн. Д. Кильдишевъ"
Поступил через закупочную
комиссию ГМЗ г. Петродворца
в 1987 г.
Инв. № ПДМП-663дм
ГМЗ г. Петродворца

97. Ковш
Москва. Начало XX в.
Фирма К. Фаберже
Клейма: „Фаберже",
Московского пробирного
управления 1908–1917 гг.
Серебро, позолота; литье,
чеканка
20×31,5×17,2
Поверхность ковша украшена
рельефной сеткой с
пальметками на стрелке ковша
– двуглавый орел
Поступил из Гохрана в 1951 г.
Инв. № ЭРО-7752
ГЭ, Ленинград

98. Ковш
Фирма К. Фаберже
Клейма: „Фаберже", проба 84
Серебро, эмаль, драгоценные
камни, позолота
16,5×21,0
„А ла Велле Руси" Нью-Йорк,
США

99. Ковш
Москва. 1880-е годы
Фирма К. Фаберже
Клейма: Фаберже, проба 84,
герб Москвы
Серебро, дымчатый кварц,
аметисты, халцедон; чеканка,
золочение, живописная эмаль
37×28,5
Ковш серебряный овальной
формы, с ручкой в виде
кокошника. На тулове
миниатюра с картины
В. Васнецова „Три богатыря",
выполненная в технике
живописной эмали
Поступил в 1988 г.
Инв. № МР-11370
ГММК, Москва

100. Ковш в форме лебедя
Москва. 1902 г.
Фирма К. Фаберже (мастер
строгановского училища)

Клейма: „К.Ф." „У.Ф." 1902
Керамика, серебро, сердолик,
сапфир, хризопразы
38×31
Поступил через антикварный
магазин г. Ленинграда в 1985 г.
Инв. № ЕД-2899
ГМЗ г. Пушкина

101. Конфетница
Москва. 1895 г.
Фирма К. Фаберже
Клейма: „Фаберже", герб
Москвы, проба 84
Серебро; литье, чеканка,
золочение
13,5×10
Конфетница овальной формы
украшена чеканкой,
гофрированной лентой,
картушем и поясками в виде
стилизованных раковин.
Поступила из частного
собрания в 1985 г.
ГМДПИ народов СССР.
Москва

102. Коробочка
Петербург. Начало XX в.
Фирма К. Фаберже
Нефрит, золото, алмазы-
огранка „роза"; резьба
2,8×7,2×5,1
Поступила в 1951 году из ГМФ
Инв. № Э-17152
ГЭ, Ленинград

103. Крюшонница
Москва. 1895 г.
Фирма К. Фаберже (мастер
„А.А.")
Клейма: „Фаберже", „А.А.",
герб Москвы, проба 84
Серебро, хрусталь; литье,
чеканка, гравировка
30,6×26
Хрустальная чаша
декорирована узором из кругов
со звездами внутри. Широкое
серебряное навершие
украшено пояском плетенки со
звездами и жемчужником. Две
массивные ручки украшены
пышным рельефным листом.
Поступила из гостиничного
комплекса „Интурист-
Националь" в 1984 г.
Инв. № Мт340
ГМДПИ народов СССР.
Москва

104. Кувшин
Москва. Начало XX в.
Фирма К. Фаберже
Клейма: „Фаберже", герб
России, пробирного
инспектора И. С. Лебедкина
Серебро, хрусталь; золочение,
резьба, чеканка
В. 22,5
Поступил через закупочную
комиссию ГМЗ г. Петродворца

в 1982 г.
Инв. № ПДМП-693 дм
ГМЗ г. Петродворца

105. Кувшин
Москва. 1908–1917 годы
Фирма К. Фаберже
Клеймо: „Фаберже"
Серебро, хрусталь
В. 28,0
Горло и ручка кувшина
изготовлены из серебра;
крышка увенчана литой
фигуркой сфинкса, а ручка
головой барана и цветочными
гирляндами
Дар Михеевой К. Ф. в 1986 г.
Инв. № 107041/1/ок23189
ГИМ, Москва

106. Лампа настольная
Петербург. 1908 г.
Фирма К. Фаберже
Клейма: „Фаберже", проба 88
Серебро, родонит
59,0×13,0×12,0
Поступила через музейно-
закупочную комиссию в 1982 г.
Инв. № КП-1430 д 130 СВ 70
ВМДПНИ, Москва

107. Ларец-комодик
Москва. 1900 г.
Фирма К. Фаберже
Клейма: „Фаберже", проба 88
Дерево „птичий глаз",
серебро, бархат, стекло;
литье, чеканка
21,5×15,5
На крышке ларца на фоне
синего стекла композиция из
воинской арматуры. На
внутренней стороне крышки
серебряная дощечка с
гравированной надписью: „Ея
Императорскому Величеству
Государыне Императрице
Александре Федоровне
верноподданейшия и
беспредельно преданныя
Оренбургские казачки".
Ларец-комодик был
преподнесен императрице с
белой вязаной шалью внутри.
Поступил из
Александровского дворца в
Царском Селе (Палисандровая
гостиная)
Инв. № ЦХ-753-VII
ГМЗ г. Павловска

108. Лоток
Петербург
Фирма К. Фаберже
Клейма: „Фаберже",
Петербургского пробирного
управления, пробирного
инспектора Я. Л.
Серебро, оникс; литье
16,5×3,5×5
Поступил из
Политехнического музея

г. Москвы в 1988 г.
Инв. № КП-17137
ВМДПНИ, Москва

109. Молочник
Начало XX в.
Клейма: „Фаберже", проба 84
Серебро, позолота, литье
9,7×12,8×9,5
Молочник полусферической
формы; тулово украшают
чеканные изображения
лавровых венков и факелов,
перевитых лентами.
Поступил из частного
собрания в 1987 г.
Инв. № МТ 417
ГМДПИ народов СССР
Москва

**110. Настольное украшение
„Ящерица, грызущая лист"**
Петербург. 1901 г.
Фирма К. Фаберже
Клейма: „Фаберже", герб
Петербурга, пробы 84
Серебро; литье, чеканка,
гравировка
23,3×9,5
На оборотной стороне
надпись: 5 September Regelfest
1901.
Поступила в 1987 г. через
Экспертно-закупочную
комиссию Эрмитажа
Инв. № Э-17851
ГЭ, Ленинград

**111. Нож для разрезания
бумаги**
Петербург. Начало XX в.
Без клейм
Нефрит, золото, лунный
камень; резьба, полировка
34,0×2,5
Поступил из Государственного
музея этнографии
Инв. № ЭРО-6154
ГЭ, Ленинград

**112. Нож для разрезания
бумаги**
Москва. 1915 г.
Фирма К. Фаберже
Клейма: „Фаберже",
пробирное клеймо
И. С. Лебедкина
На футляре: герб России,
Фаберже, Петроградъ,
Москва, Лондонъ
Серебро; чеканка
20,7×2,5
Из предметов обихода,
содержавшихся в царском
поезде Николая II
Инв. № ПДМП-64, 64/1дм
ГМЗ г. Петродворца

**113. Ожерелье из подвесок в
виде пасхальных яиц**
Петербург (?). 1900-е годы
Фирма К. Фаберже
Клейма: „Фаберже", герб

Петербурга (?), пробы 56, 84
Золото, серебро, драгоценные и поделочные камни, эмаль, стекло; литье, чеканка, гравировка, резьба, гильоширование
Длина 35,0
Среди множества клейм на подвесках расшифровываются именники ювелиров фирмы К. Фаберже и современных ей мастеров Москвы и Петербурга. В единичных случаях встречаются сбитые клейма; почти на всех подвесках имеются клейма пробирных инспекторов Петербурга, например Якова Ляпунова
Поступило в качестве дара музею в 1961 г.
Инв. № Э-17375
ГЭ, Ленинград

114. Пепельница в футляре
Москва. 1908–1917 годы
Фирма К. Фаберже
Клейма: „Фаберже", герб России, проба 88
На крышке футляра: герб России „Фаберже"
Москва, С. Петербург, Одесса
Серебро, эмаль
9,1×4,7
Из предметов обихода, содержавшихся в царском поезде Николая II
Инв. № ПДМП-27, 21/1дм
ГМЗ г. Петродворца

115. Портсигар
Петербург. 1906 г.
Фирма К. Фаберже
Клейма: „К.Ф.", проба 72, Петербургского пробирного управления
Золото, серебро, бриллианты, алмазы-огранка „роза", эмаль, гравировка, резьба
9,3×6,3×1,5
Портсигар золотой с миниатюрой цесаревича Алексея, покрыт голубой прозрачной эмалью.
Поступил из Московского ювелирного товарищества в 1927 году
Инв. № МР-657
ГММК, Москва

116. Попугай на жердочке
Петербург. 1900-е годы
Фирма К. Фаберже
Нефелин, оникс, кварц, алмазы, слоновая кость; резьба
В. 30,6
Поступил из собрания Шуваловых в 1925 году
Инв. № Э-12180
ГЭ, Ленинград

117–146. Предметы из сервировочного набора (365 единиц), выполненного по заказу московского отеля „Националь"
Москва. 1880-е годы
Фирма К. Фаберже
Клейма: „Фаберже" проба 875
Ложки десертные (2), для соуса (1), раздаточные для рыбы (2), для салата (1), столовые (2), гарнирная (1), разливательная (1), для икры (2), чайные (2), кофейные (2); вилки столовые (2), десертные (2), раздаточная для рыбы (1); нож-лопатка для рыбы; лопатка для пирога; ножи десертные (2), щипцы для спаржи (1), подставки под индивидуальный прибор (2).
Серебро, золочение, литье, гравировка
ГМДПИ народов СССР, Москва

147. Рамка с фотографией императрицы Александры Федоровны
Москва. 1901 г.
Клейма: Московского пробирного управления, инициалы управляющего округом И. С. Лебедкина, проба 84, инвентарный № 1811
Серебро, дерево; литье, чеканка
17,0×8,5
Поступила из коллекции Александровского дворца в Царском селе
Инв. № ЦХ-1438-VII
ГМЗ г. Павловска

148. Рама с фотографиями
Москва. 1908 г.
Фирма К. Фаберже
Клейма: „Фаберже" проба 84, Московское пробирное управление
Золото, серебро, эмаль, стекло, бумага
64,0×67,5
В центре треугольной рамы, обрамленной узкой полоской красной эмали по гильошированному фону с накладным орнаментом в виде гирлянд и завитков, две овальные фотографии И. И. Воронцова-Дашкова и его жены. Над фотографиями герб Воронцовых-Дашковых, надпись на ленте: „Вечно непоколебимая верность"; в центре рамы на пластине изображение георгиевской ленты с накладной буквой „W" в венке из дубовых листьев. Ниже в пять рядов расположены фотографии

членов семьи и сослуживцев. На оборотной стороне рамы прикреплена серебряная пластина с гравированной надписью: „Наместнику Его Императорского Величества на Кавказе Генералъ Адъютанту Графу И. И. Воронцову-Дашкову".
Адъютанты:
Ротм. князь А. З. Чавчавадзе
Шт. Ротм. князь
Г. И. Амилихвари
Офицеры для поручений
Полк. А. И. Лазаревъ
Подполк. князь В. Л. Гурель
Подполк. князь
И. П. Барановъ
Капитан князь С. Г. Караловъ
Шт. ротм. князь Джандиери
Состоящий в распоряжении Капитана
А. И. Добржановский
Чиновн. Особ. Поручений
въ д. Шталм. Выс. Двора
В. С. Толстой
въ д. Шталм. Выс. Двора
Асельдеръ
бекъ Казаналиновъ
въ звании камергера Высоч. Двора
св. князь П. А. Грузинский
Статск. Сов. С. П. Линдернъ
в звании Камеръ Юнкера Выс. Двора
Е. Н. Пановъ
В. Н. Пущинъ
Лейт. въ отставке кн.
С. В. Горчаковъ
Кол. Ас. А. С. Осмолонский
А. Б. Зюльдигаровъ
ГИМ, Москва

149. Сахарница
Москва. 1898–1908 годы
Фирма К. Фаберже
Клейма: „Фаберже", пробирное клеймо И. Лебедкина, проба 88
Серебро, позолота; литье, чеканка
9,7×18,0
Сахарница на невысоком поддоне с двумя ручками. Верхняя часть тулова украшена фризообразным классическим узором из гирлянд и развивающихся лент, обрамленных двумя полосками меандра.
Поступила из частного собрания в 1987 г.
Инв. № Мт 1555
ГМДПИ народов СССР, Москва

150. Трость с набалдашником
Москва. 1900-е годы
Фирма К. Фаберже
Клейма: „Фаберже", пробирного инспектора

Москвы И. С. Лебедкина (1899–1908), проба 84
Серебро, металл, дерево; литье, чеканка, резьба.
Д. 88,0
Поступила через Экспертно-закупочную комиссию Эрмитажа в 1987 году
Инв. № Э-17882
ГЭ, Ленинград

151. Туалетный прибор
Москва. 1908–1917 годы
Фирма К. Фаберже
Клейма: „Фаберже", проба 84
Серебро, хрусталь, стекло, щетина
7,3×7,2×7,2
Туалетный прибор состоит из пяти предметов: двух щеток, зеркала, двух баночек из граненого хрусталя. Все предметы оправлены в серебро и украшены полосками орнамента в виде дубовых венков, розетками, стилизованными листьями.
Прибор находится в футляре, на крышке которого надпись:
„ЯКОВЪ РИММЕРЪ ЮВЕЛИРЪ ВЛАДИМИРСК. ПР. в С. ПЕТЕРБУРГЪ"
Поступил из государственного учреждения в 1988 г.
Инв. № 107481/ок23275/1-5
ГИМ, Москва

152. Фигурка бегемота
Петербург. Около 1900 года
Фирма К. Фаберже
Обсидиан; резьба
Частное собрание. Финляндия

153. Фигурка кабана
Петербург. Начало XX в.
Фирма К. Фаберже
Сердолик, бриллианты
4,8×2,5×3,0
Частное собрание. Ленинград

154. Фигурка носорога
Петербург. Начало XX в.
Фирма К. Фаберже
Обсидиан, резьба, бриллианты
5,8×2,5×3,0
Частное собрание. Ленинград

155. Фигурка поросенка
Петербург, 1900-е годы
Фирма К. Фаберже
Халцедон, алмазы-огранка „роза", резьба
3,0×4,7×2,1
Поступила через экспертно-закупочную комиссию Эрмитажа в 1984 г.
Инв. № Э-17766

156. Фигурка поросенка
Петербург. Начало XX в.
Фирма К. Фаберже
Надпись на футляре:
ФАБЕРЖЕ,

СТ. ПЕТЕРБУРГ, МОСКВА
Беломорский кварцит, горный хрусталь; резьба
2,8×4,8
Поступила из собрания семьи Фаберже в 1920 г.
Инв. № ЭРКм-486
ГЭ, Ленинград

157. Фигурка свинки
Петербург. Начало XX в.
Фирма К. Фаберже
Обсидиан, бриллианты; резьба
5,8×2,5×3,0
Частное собрание. Ленинград

158. Фигурка собаки таксы
Петербург. Начало XX в.
Фирма К. Фаберже
Агат, золото, рубины; резьба, гравировка
4,8×8,5
Собрание М. Камидяна, Париж. Франция

159. Флакон
Петербург. Начало XX в.
Фирма К. Фаберже
Золото, сапфир, бриллиант, рубин; гильошированная эмаль
Длина 7,9
Собрание М. Камидяна, Париж. Франция

160. Чарка-ковш в виде головы слона
Петербург. Начало XX в.
Фирма К. Фаберже
Обсидиан, алмазы-огранка „роза"; резьба
4,5×9,1×5,5
Поступила из ГМФ в 1951 году
Инв. № Э-17154
ГЭ, Ленинград

161. Чаша для пунша с черпаком
Москва. 1916 г.
Фирма К. Фаберже
Клейма: „Фаберже", герб России, проба 84
Серебро, эмаль, полудрагоценные камни, золочение; гравировка, роспись
Чаша – В. 33
Черпак – д. 25,5
Чаша опирается на четыре ножки-шарика, имеет эмалевую вставку, на которой изображен вид рудников Бранского завода. На тулове надпись: „От служащих рудников Многоуважаемому ВладимIру Герасимовичу Мухину в память 10-ти летней службы его на железныхъ рудникахъ акцIонернаго общества Бранскаго завода 1906 $\frac{27}{IV}$ 1916".
Поступила через закупочную комиссию ГМЗ г. Петродворца

в 1988 г.
Инв. № КП-25274
ГМЗ г. Петродворца

162. Чаша пуншевая с разливательной ложкой
Петербург. 1905 г.
Фирма К. Фаберже
Клейма: „Фаберже", герб Петербурга, проба 84
Серебро, позолота, литье, чеканка, гравировка, цветные камни
41,0×17,5
Д. ложки 29,5
Надпись на тулове „Призъ въ память Д. А. Энгельгардта", 1905
Инв. № КП-305427/2
ГМИЛ, Ленинград

163. Эскиз набалдашника
Фирма К. Фаберже
Бумага, акварель
10,0×5,5
Частное собрание. Ленинград

164. Эскизы набалдашников
Фирма К. Фаберже
Бумага, акварель, карандаш
13,7×9,5
Частное собрание. Ленинград

165. Эскизы набалдашников
Фирма К. Фаберже
Бумага, акварель, карандаш
13,2×9,9
Частное собрание. Ленинград

166. Ваза
Петербург. 1899–1903 годы
Мастер „КВ", проба 84, пробирное клеймо Я. Ляпунова
Керамика, серебро; чеканка
В. 16,5
Ваза цилиндрической формы; тулово украшает изображение лягушки из накладного серебра.
Поступила из Нижней дачи Николая II в Александрии Петергофа
Инв. № ПДМП-613дм
ГМЗ г. Петродворца

167. Зеркало
Москва. 1880–1890 годы
Фирма К. Фаберже. Мастер „М.Д."
Клейма: „Фаберже", „М.Д.", проба 84
Серебро, стекло, дерево
В. 58
Серебряная рама зеркала сделана в виде тонкой оправы с рельефным орнаментом крупных листьев и фигурным картушем с резным вензелем „ЛК" наверху. Оборотная сторона и подставка деревянные.
Поступило из

государственного учреждения в 1972 г.
Инв. № 102443/32/ок21167
ГИМ, Москва

168. Рамка с портретом вел. кн. Ольги Александровны
Петербург. 1900-е годы
Мастер А.С.
Клейма: „А.С.", Петербургского пробирного управления
Серебро, транспорантная эмаль, стекло; золочение, чеканка
Д. 10,2
Поступила из Нижней дачи Николая II в Александрии Петергофа
Инв. № ПДМП-190дм
ГМЗ г. Петродворца

169. Звонок настольный
1908–1917 годы
Без клейм
Серебро, оникс, транспорантная эмаль, дерево
Д. 5,2
Поступил через закупочную комиссию ГМЗ г. Петродворца в 1987 г.
Инв. № ПДМП-610дм
ГМЗ г. Петродворца

170. Лупа Николая II
Петербург. 1898 г.
Без клейм
Серебро, транспорантная эмаль, камень, стекло; чеканка
Д. 16,2
На лупе монограмма Н и дата 1898 г.
Из предметов обихода, содержавшихся в царском поезде Николая II
Инв. № ПДМП-65дм
ГМЗ г. Петродворца

171. Печатка
Петербург. Начало XX в.
Без клейм
Пурпурин, серебро
В. 8,8
На овальной матрице великокняжеская печать
Инв. № ЦХ-895-VII
ГМЗ г. Павловска

172. Портсигар
Петербург. Около 1915 года
Без клейм
Дерево, золото, сталь, шелк
10,5×7,0
Собрание М. Камидяна, Париж. Франция

Современники Фаберже

А. К. Адлер
173. Футляр для карандаша
Петербург. 1908–1912 годы
Клейма: „А.А.", проба 56
Золото, серебро, транспорантная эмаль
Д. 7,0
Футляр плоский, с золотым наконечником – крышкой для карандаша. Поверхность футляра покрыта серебристой гильошированной эмалью в виде волн.
Поступил через закупочную комиссию музея в 1988 г.
Инв. № КП-24601
ГМЗ г. Петродворца

Самуэль Арнд
174. Запонки
Петербург. 1845–1864 годы
Самуэль Арнд
Клейма: „S.A.", герб Петербурга (сбит), проба 56
Пара запонок из черной пасты в золотой оправе.
Золото, паста; полировка
Д. 2,0

Инв. № Э9420
ГЭ, Ленинград

175. Медальон
Петербург. 1845–1864 годы
Самуэль Арнд
Клейма: „S.A.", герб Петербурга (сбит), проба 56
Золото, паста; резьба
7,1×4,0
В медальон вмонтирована исполненная в пасте камея с изображением императрицы Марии Федоровны.
Фелькерзам в инвентаре собрания драгоценностей Эрмитажа предположил, что медальон выполнен Петербургским граверным мастером Сержем Франсуа Амура (1787–1808 гг.).
В настоящее время подобные клейма идентифицируются с работами Арнда. Возможно, что медальон либо вынимался, либо сделан неодновременно с оправой, о чем свидетельствует отсутствие

крепежа.
Поступил из собрания
вел. кн. Сергея
Александровича в 1910 г.
Инв. № Э4945
ГЭ, Ленинград

176. Печать
Петербург. 1845–1864 годы
Самуэль Арнд
Клейма: „S.A.", герб
Петербурга (сбит), проба 56
Золото, сапфиры; гравировка,
резьба
В. 3,5
Печать выполнена в форме
золотого цилиндра. На двух
концах печати в
гравированный обод
вмонтированы
восьмиугольные сапфиры с
вырезанными на них гербами
князя Паскевича-Эриванского.
Инв. № Э9389
ГЭ, Ленинград

Фридрих Кехли

177. Вставочка для пера
Петербург. Конец XIX в.
Клейма: „Ф.К.", герб
Петербурга, проба 56
Золото, алмазы; литье,
полировка
Д. 15,1
Поступила из ГМФ в 1951 г.
Инв. № Э-17146
ГЭ, Ленинград

178. Лорнет на цепочке
Петербург, 1883 г.
Клейма: „Ф.К.", герб
Петербурга
Золото, бриллианты, рубины,
сапфиры, жемчуг, стекло,
сталь; литье, чеканка
Д. 44,0
Поступил из ГМФ в 1951 г.
Инв. № Э-17166
ГЭ, Ленинград

**Иван Савельевич Брицын
(1870–1952)**

179. Брелок
Конец XIX в.
Без клейма
Серебро, скань, полихромная
эмаль
Д. 3,5
На одной стороне брелка
инициалы И.Б.
Поступил от семьи Брицыных
в 1986 г.
Инв. № ПДМП-583дм
ГМЗ г. Петродворца

180. Заготовка для рамки
Начало XX в.
Клеймо: проба 88
Серебро, транспарантная
эмаль
34,7×28,4
Поступила от семьи Брицыных

в 1986 г.
Инв. № ПДМП-594дм
ГМЗ г. Петродворца

181. Заготовка для рамки
Начало XX в.
Клеймо: проба 88
Серебро, транспарантная
эмаль
34,7×28
Поступила от семьи Брицыных
в 1986 г.
Инв. № ПДМП-593дм
ГМЗ г. Петродворца

182. Запонки
Петербург. 1908–1917 годы
Мастер И. С. Брицын
Клейма: „И.Б.", проба 56
Золото, эмаль, бриллианты
Д. 3,0
Запонки круглые, покрытые
эмалью в белую и синюю
полоску, в центре бриллиант
Поступили от семьи Брицыных
в 1988 г.
Инв. № КП-24599/1,2
ГМЗ г. Петродворца

183. Заготовка для печати
Петербург. 1908–1917 годы
Клейма: „И.Б.", проба 56
Серебро, многоцветное
золото, белый опал,
транспарантная эмаль
В. 6,3
Ручка круглая из белого опала,
основание покрыто зеленой
эмалью
Поступила от семьи Брицыных
ГМЗ г. Петродворца

184. Заготовка для печати
Петербург. 1908–1917 годы
Клейма: „И.Б.", пробы 84 и 56
Серебро, многоцветное
золото, нефрит,
транспарантная эмаль;
гильошировка
В. 6,7
Поступила от семьи Брицыных
в 1988 г.
Инв. № КП-24145
ГМЗ г. Петродворца

185. Карандаш цанговый
Петербург. 1903–1917 годы
Клейма: „И.Б.", пробы 88, 56
Серебро, золото, альмандин,
эмаль; гильошировка
Длина 12,0
Поверхность карандаша
покрыта серой
гильошированной эмалью
волнистого рисунка,
наконечник золотой.
Поступила от семьи Брицыных
в 1986 г.
Инв. № ПДМП-544дм
ГМЗ г. Петродворца

186. Пряжка
Начало XX в.
Без клейма

Серебро, транспарантная
эмаль, алмазы, рубины;
золочение
5,3×7,2
Поступила от семьи Брицыных
в 1986 г.
Инв. № ПДМП-541дм
ГМЗ г. Петродворца

187. Пудреница
Петербург. 1908–1917 годы
Клейма: „БРИЦЫНЪ", герб
Петербурга, проба 88
Серебро, эмаль, сапфиры;
золочение, гильошировка
5,8×8,8
Поступила от семьи Брицыных
в 1986 г.
Инв. № ПДМП-595дм
ГМЗ г. Петродворца

188. Рамка
Петербург
Клейма: „И.Б.", (дважды),
герб Петербурга, проба 88
(повторяется 4 раза)
Серебро, эмаль, золочение,
гильошировка
Д. 6,0
Рамка круглой формы с
откидной ножкой. Покрыта
голубой эмалью с
гильошировкой в виде
волнообразных пучков.
Поступила от семьи Брицыных
в 1986 г., инв. № ПДМП-545дм
ГМЗ г. Петродворца

189. Ручка для зонтика
Начало XX в.
Без клейм
Серебро, транспарантная
эмаль, хрусталь, бронза;
золочение
Поступила от семьи Брицыных
в 1986 г.
Инв. № ПДМП-542дм
ГМЗ г. Петродворца

190. Солонка
Петербург. 1908 г.
Клейма: „И.Б.", герб
Петербурга, проба 88,
пробирного инспектора
А. В. Романова
В. 4,7
Серебро, эмаль;
гильошировка, роспись
Солонка на трех ножках, ее
поверхность покрыта белой и
синей гильошированной
эмалью в виде волн и полос.
Поверх эмалевого слоя –
роспись с мотивом цветочных
гирлянд.
Поступила от семьи Брицыных
в 1986 г.
ГМЗ г. Петродворца

191. Рамка
Петербург, нач. XX в.
Клейма: „БРИЦЫНЪ", проба
88

Серебро, литье, чеканка,
золочение, гильошировка
Д. 5,9
В рамке фотография Григория
Распутина на берегу реки.
Рамка на золоченой
серебряной ножке, на тыльной
стороне пластинка из слоновой
кости.
Поступила из
Александровского дворца в
Царском Селе (Сиреневый
кабинет)
Инв. № ЦХ-1443-VII
ГМЗ г. Павловска

192. Табакерка
Петербург. 1903 г.
Клейма: проба 88, 88
пробирное клеймо
Ляпунова Я.
Серебро, полихромная
транспарантная эмаль, алмаз,
роспись, золочение
В. 2,0
Поступила от семьи Брицыных
в 1986 г.
Инв. № ПДМП-543дм
ГМЗ г. Петродворца

193. Сигаретница
Петербург. 1908–1917 годы
Клейма: „БРИЦЫНЪ", герб
Петербурга, пробы 88, 56
Серебро, золото, эмаль;
гильошировка
Сигаретница в виде сундучка с
откидной крышкой, покрыта
белой эмалью
Поступила от семьи Брицыных
в 1986 г.
Инв. № ПДМП-540дм
ГМЗ г. Петродворца

194. Часы
Петербург. 1908–1917 годы
Клейма: „И.Б.",
„БРИЦЫНЪ", герб
Петербурга, проба 88
Серебро, золото, эмаль;
гильошировка
Часы имеют форму
прямоугольной рамки с
вмонтированным в нее
круглым циферблатом.
Поверхность покрыта
гильошированной эмалью в
виде расходящихся волн и
лучей синего, голубого и
белого цветов.
Приобретены у семьи
Брицыных в 1986 г.
Инв. № ПДМП-539дм
ГМЗ г. Петродворца

**195–208. Инструменты
ювелира И. С. Брицына**
Петербург. Начало XX в.
Двусторонний молоток с
округлой и плоской рабочими
частями; маленький

двусторонний молоток с округлой и плоской рабочими частями; двусторонний молоток с удлиненной ударной частью квадратной формы; наковальня медная (7,7×1,8); наковаленка на дубовом основании; гирька медная; циркуль из никелированной стали; весы медные с латунными чашами; лобзик стальной с деревянной ручкой; резец с прямым узким лезвием; щипцы-кусачки стальные никелированные; большая рабочая лупа
серебро, позолота, образец эмали (зеленый) по гильошировке, (1×1); заготовка для табакерки медная с резьбой под эмаль гильоше (9,2×4×2,1)
Инв. № 1412-ВХ–1422-ВХ, Б/№, ВХ-1441
ГМЗ г. Петродворца

Фирма „Болин"
209. Портсигар
Петербург. Около 1900 года
Фирма С. И. Болин
Бронза, золото, алмазы – огранка „роза", сапфир
8,5×5,0
Собрание В. А. Болин.
Швеция. Стокгольм

Фирма „А. Тилландер"
210. Ковш
Петербург. До 1899 г.
Фирма А. Тилландер
Золото, нефрит, рубины
12,0×5,5
Собрание А. Тилландер.
Хельсинки. Финляндия

211. Нож для разрезания бумаги
Петербург. До 1899 г.
Фирма А. Тилландер
Золото, бриллианты, рубины, нефрит
17,1×1,8
Собрание А. Тилландер.
Хельсинки. Финляндия

Третья артель
212. Лоток
Петербург. 1908–1917 годы
Третья артель
Клейма: „ЗА", пробы 88
Серебро, транспарантная эмаль
Д. 7,6
Лоток имеет овальную форму, покрыт белой гильошированной эмалью в виде волн и концентрических кругов.

Поступил через закупочную комиссию ГМЗ г. Петродворца в 1987 г.
Инв. № ПДМП-609дм
ГМЗ г. Петродворца

213. Табакерка
Петербург. 1908–1917 годы
Третья артель
Клейма: „ЗЯА", проба 56
Золото, серебро, алмаз, транспарантная эмаль; золочение
Д. 5,3
Табакерка овальной формы, покрыта красной гильошированной эмалью в виде лучей и волн. Крышка открывается при помощи алмазной кнопки.
Поступила через закупочную комиссию ГМЗ г. Петродворца в 1987 году
Инв. № ПДМП-647дм
ГМЗ г. Петродворца

214. Часы настольные
Петербург. 1908–1917 годы
Третья артель
Клейма: „ЗЯА", герб Петербурга, проба 88
Серебро, эмаль, транспарантная эмаль, пластмасса; чеканка
Д. 11,7
Часы имеют дисковидную форму. Поверхность декорирована чередующимися полосами: белой и красной эмали.
Поступили через закупочную комиссию ГМЗ г. Петродворца в 1988 году
Инв. № КП-24144
ГМЗ г. Петродворца

215. Часы с подставкой для визиток
Петербург. 1908–1917 годы
Третья артель
Клейма: „ЗА", герб Петербурга, проба 88
Серебро, дерево, эмаль; золочение, гравировка
В. 7,3
Поступили через закупочную комиссию ГМЗ г. Петродворца в 1986 г.
Инв. № ПДМП-589дм
ГМЗ г. Петродворца

II Артель
216. Ложка чайная
Москва, 1908–1917 годы
II Артель
Клейма: „Фаберже", „IIА", проба 84
Серебро, позолота, эмаль
Д. 14,3
Конец витой ручки предмета

украшен сканным орнаментом с многоцветной эмалью на канфаренном фоне.
Поступила из

ЛПО „Русские Самоцветы"
217. Клочков Николай Павлович
СТАРИК С ГУСЕМ
Ленинград. 1985 г.
Двухцветное золото, яшма, нефрит, кварцит, бриллианты, пироны
16,0×11,3
ЛПО „Русские Самоцветы", Ленинград

218. Потехин Павел Борисович
ПИТОН
Ленинград. 1984 г.
Золото, альмандин, нефрит, горный хрусталь, бриллианты
Д. 14,0
ЛПО „Русские Самоцветы", Ленинград

219. Цапля
Ленинград. 1983 г.
Золото, халцедон, сердолик, бриллианты
В. 19,0
ЛПО „Русские Самоцветы", Ленинград

Рыбка Людмила Викторовна
220. Морж
Ленинград. 1984 г.
Золото, пиропы, обсидиан, кремень
11,0×6,0×5,5
ЛПО „Русские Самоцветы", Ленинград

221. Павиан
Ленинград. 1984 г.
Золото, халцедон, цирконы
7,5×5,2×6,2
ЛПО „Русские Самоцветы", Ленинград

Бертел Гардберг
222. Насекомое
1988 г.
Б. Гардберг
Клейма: мастера Б. Гардберга, 1988
Серебро, кварц, камень
Д. 26,7
Собрание автора. Финляндия. Хельсинки

223. Соусник с ложкой
1983 г.
Б. Гардберг
Клейма: мастера Б. Гардберга, 925, 1983
Серебро.

государственного учреждения в 1971 г.
Инв. № 102157/20/ок.18236
ГИМ, Москва

Наследники традиций Фаберже

Соусник – 15,0×9,7×8,5
Ложка – Д. 11,0
Собрание автора. Финляндия. Хельсинки

Т. С. Макиевская
224. Кольцо
Ленинград. 1975 г.
Серебро; чеканка, гравировка
2×2
Собственность автора. Ленинград

225. Кулон
Ленинград. 1985 г.
Мельхиор, мозаика
2×1,5
Собственность автора. Ленинград

226. Кулон
Ленинград. 1985 г.
Мельхиор, мозаика
2×1,5
Собственность автора. Ленинград

227. Медальон
Ленинград. 1975 г.
Серебро; чеканка, гравировка
2×1,5
Собственность автора. Ленинград

228. Настольное украшение
Ленинград. 1988 г.
Бронза, инкрустация; литье, гравировка
8×5
Собственность автора. Ленинград

Жан Шанлен
229. Медаль „В память Парижской выставки 1900 г."
Париж. 1900 г.
Бронза
Д. 6,4
Подобных медалей были удостоены на выставке произведения ведущих мастеров фирмы Фаберже. Данная медаль принадлежала Михаилу Евлампиевичу Перхину (1860–1903 гг.)
Дар правнука М. Е. Перхина Аристова Г. С. в 1974 г.
Инв. № ОМ-1881
ГММК, Москва

LITERATURE

1. "Everything about Odessa" of 1913. Reference-book. Odessa, 1913.

2. "The whole of commercial and industrial Odessa", 1914, Odessa.

3. "South-Russian Almanach", 1900, J. Sandomirsky, Odessa.

4. The calendar of the governor of the town of Odessa, 1905, Odessa.

5. Table from the report of the Odessa committee of trade and manufactures of 1911. Odessa, 1911.

6. "The Russian Baedeker". The reference address book of 1912–1913. Odessa.

7. "Everything about Odessa", 1904–1905 by A. A. Lisyansky, Odessa.

8. Odessa. Guide, resort and commercial and industrial reference book. Publishing house of the shop "Cloud", Odessa, 1917.

9. "Everything about Odessa" 1911, Reference-book, 1911.

10. "Everything about Odessa" 1912, Reference-book, 1912.

11. "Everything about Odessa" 1913, Reference-book, 1913.

12. "Everything about Odessa" 1914, Reference-book, 1914.

13. "Citizens of Odessa" by Gorelik, Odessa, 1893.

14. CSHA-USSR, f. 473, op. 43 (551/2840), d. 130, p. 2.

15. M. M. Postnikova-Loseva, N. G. Platonov, V. L. Ulyanov. Goldsmithing and silversmithing in XV–XX centuries (the territory of the USSR), Nauka, Moscow, 1983.

16. The Odessa State Historical Archives, f. 2, op. 3, d. 3131.

17. CSHA-USSR, f. 268, op. 44, d. 1383.

18. Regulations for the factory of golden and silver works of the House of Fabergé, Moscow in Odessa. Odessa, 1903.

19. CSHA-USSR, f. 23, op. 25, d. 168.

20. A. K. Snowman. The Art of Carl Fabergé, London, 1969.

21. CSHA-USSR, f. 472, op. 66, d. 120.

22. N. Lyashenko. Our correspondents. Odessa, "Juvellir", No. 2, 1912.

23. V. Katayev. "The Black Sea waves", book 1, Kishinev, "Literattura artistika", 1986.

24. A. Hammer. "My 20th century. Pathways and meetings", Moscow, Progress, 1988.

25. The activity of the tax offices "Juvellir", 1912, No. 2.

26. Carl Fabergé and his contemporaries, Helsinki, 1980, p. 30.

ЛИТЕРАТУРА

1. Вся Одесса за 1913 год, Справочник, Одесса, 1913 г.

2. Вся торгово-промышленная Одесса, 1914 г., Одесса.

3. Южно-Русский альманах, 1900 г., Ю. Сандомирского, Одесса.

4. Адрес-календарь Одесского градоначальника на 1905 г., Одесса.

5. Таблица из Отчета Одесского комитета торговли и мануфактур за 1911 г., Одесса, 1911 г.

6. Русский Бедекер. Адресно-справочная книга на 1912–1913 гг., Одесса.

7. Вся Одесса на 1904–1905 гг., изд. А. А. Лисянского, Одесса.

8. Одесса. Путеводитель, курортный и торгово-промышленный справочник, изд. книж. маг-на „Труд", Одесса, 1917 г.

9. Вся Одесса за 1911 г., Справочник, Одесса, 1911 г.

10. Вся Одесса за 1912 г., Справочник, Одесса, 1912 г.

11. Вся Одесса за 1913 г., Справочник, Одесса, 1913 г.

12. Вся Одесса за 1914 г., Справочник, Одесса, 1914 г.

13. Одессит, изд. И. Горелика, Одесса, 1893 г.

14. ЦГИА СССР, ф. 472, оп. 43 (511/2840), д. 130, л. 2.

15. М. М. Постникова-Лосева, Н. Г. Платонова, В. Л. Ульянова. Золотое и серебряное дело XV–XX вв. (территория СССР), М.: Наука, 1983 г.

16. Одесский госуд. истор. архив., ф. 2, оп. 3, д. 3131.

17. ЦГИА СССР, ф. 468, оп. 44, д. 1383.

18. Правила внутреннего распорядка фабрики золотых и серебряных изделий торгового дома „К. Фаберже. Москва" в Одессе, Одесса, 1903 г.

19. ЦГИА СССР, ф. 23, оп. 25, д. 168.

20. А. К. Snowman. Art of Carl Faberge, L, 1969.

21. ЦГИА СССР, ф. 472, оп. 66, д. 120.

22. Н. Ляшенко. Наши корреспонденты. Одесса. „Ювелир", Спб, № 2, 1912 г.

23. В. Катаев. Волны Черного моря. Кн. I, Кишинев, Литература артистикэ, 1986 г.

24. А. Хаммер, Мой век двадцатый. Пути и встречи, М.: Прогресс, 1988.

25. Деятельность пробирных учреждений. „Ювелир", СПБ, 1912, № 12.

26. Carl Faberge and his contemporaries, Helsinki, 1980, p. 30.